COLLECTION
PASSION

Dans la même collection

227. Linda Cajio, *Strictement professionnel.*
228. Judy Gill, *L'étranger au couffin.*
229. Barbara Boswell, *Le play-boy d'en face.*
230. Tami Hoag, *Vent de folie.*
231. Sandra Chastain, *Défi sur le rocher.*
232. Deborah Smith, *California Royale.*
233. Adrienne Staff, *Café Paradis.*
234. Judy Gill, *Le Renégat.*
235. Kathleen Douglas, *Les ailes de feu.*
236. Kay Hooper, *La rose des Tropiques.*
237. Janet Evanovich, *La rousse et le médecin.*
238. Deborah Smith, *L'effet de surprise.*
239. Patt Bucheister, *Et que le temps s'arrête.*
240. Jan Hudson, *Source vive.*
241. Judy Gill, *Vacances au Paradis.*
242. Linda Cajio, *Celui qu'on n'attend pas.*
243. Charlotte Hughes, *Le fruit défendu.*
244. Kay Hooper, *Une femme à la mer.*
245. Tami Hoag, *Le bruit court.*
246. Janet Evanovich, *Chasse au mari en Alaska.*
247. Gail Douglas, *Flirt avec le danger.*
248. Barbara Boswell, *Chance et fortune.*
249. Judy Gill, *Rencontre à la tombée du jour.*
250. Kay Hooper, *L'honneur d'un joueur.*
251. Patt Bucheister, *Au bord du précipice.*
252. Jan Hudson, *A pas prudents.*
253. Tami Hoag, *Drôles de vacances.*
254. Deborah Smith, *Je reviendrai toujours.*
255. Kay Hooper, *Mission à Fantasyland.*
256. Deborah Smith, *La pierre de Kara.*
257. Gail Douglas, *Perdus dans la forêt.*
258. Tami Hoag, *L'homme de ses rêves.*
259. Patt Bucheister, *A poings fermés.*
260. Barbara Boswell, *Tout simplement irrésistible.*
261. Judy Gill, *Sirène, mon amour.*
262. Sandra Brown, *Dans la chaleur du volcan.*
263. Linda Cajio, *Un cas de force majeure.*
264. Kay Hooper, *La liberté d'aimer.*
265. Charlotte Hugues, *La tigresse.*
266. Janet Evanovich, *Prend une femme.*
267. Judy Gill, *Un bref parfum de roses.*
268. Deborah Smith, *La tentation du loup.*
269. Deborah Smith, *Princesse Talana.*
270. Tami Hoag, *Du fond du cœur.*
271. Patt Bucheister, *La maison dans l'arbre.*
272. Deborah Smith, *Le gitan des Bayous.*
273. Barbara Boswell, *A deux pas du paradis.*
274. Kay Hooper, *Le bal d'Amanda.*
275. Janet Evanovich, *Les deux voisins.*

CHARLOTTE HUGHES

LA BELLE DU MISSISSIPPI

PRESSES DE LA CITÉ
PARIS

Titre original :

SCOUNDREL

Première édition publiée par Bantam Books, Inc., New York, dans la collection Loveswept ®. Loveswept est une marque déposée de Bantam Books, Inc.

Traduction française d'Hubert Tézenas

1

CASSANDRA KENNARD CLAIR était de retour au pays. Peculiar, Mississippi, ne lui avait jamais paru si charmante.

Souriante, elle regardait par la fenêtre de la noire limousine de l'aéroport, qui glissait sans effort sur l'asphalte défoncé. Ils passèrent devant une station-service à l'enseigne noircie par les ans. Deux pompes à essence qui semblaient dater de l'avant-guerre se dressaient sur un socle de béton craquelé envahi par les herbes folles. Cassandra trouvait le décor magnifique. Même la vieille usine textile, toutes fenêtres ouvertes pour profiter de la moindre brise du mois d'août, semblait lui souhaiter la bienvenue. Ils traversèrent la ville, qui se résumait à quelques petits commerces, dont un supermarché. On était loin de la Cinquième Avenue ou de Sunset Boulevard, songea Cassandra, mais c'était justement tout le charme de Peculiar. Ses jumelles s'y épanouiraient certainement.

— Maman, pourquoi tu souris? s'étonna Bree,

une fillette de six ans dont les bouclettes blondes tombaient en cascade sur les épaules.

– Chut! intervint sa sœur Tara, les yeux rivés sur l'écran de la télévision installée dans un coin de la limousine, où passait un dessin animé. Tu ne peux pas rester tranquille une minute?

En guise de réponse, Bree lui tira la langue.

– Si je souris, c'est parce que j'ai hâte de voir la tête que fera ma famille en vous voyant arriver, répondit doucement Cassandra en se penchant sur Bree. Il y a si longtemps qu'ils ne nous ont pas vues!

Trop longtemps, songea-t-elle. La dernière fois, ses filles étaient bébés. L'emploi du temps que lui organisait Jean-François ne lui laissait jamais un moment de liberté. Avec le recul, Cassandra se rendait compte qu'il l'avait fait exprès. Sciemment, il s'était efforcé de l'éloigner de sa famille.

La jeune femme avait fini par réaliser qu'il ne servait à rien de s'acharner à préserver un mariage raté. Un jour, elle avait découvert que Jean-François détournait à son seul profit une bonne partie de l'argent qu'elle gagnait à poser du matin au soir sous le feu des projecteurs. Il lui avait fallu près de deux années de lutte devant les tribunaux pour se remettre de ses souffrances.

A trente ans, Cassandra Clair était toujours un des mannequins les plus recherchés de la profession. Elle avait elle-même dessiné la jupe noire et la veste gris sombre qu'elle portait ce jour-là. Ses cheveux d'un blond cendré, coupés par une célèbre coiffeuse dont la clientèle se composait exclusivement de mannequins et d'actrices, étaient retenus en queue de cheval à la base de la nuque.

— Vous pourrez vous arrêter devant cette ferme sur la gauche, dit-elle au chauffeur en tentant de maîtriser son excitation.

— C'est ici qu'habite notre nouvelle grand-mère, maman? l'interrogea Bree, manifestement lasse d'être enfermée, en se trémoussant sur la banquette.

Tara, elle, demeura sagement immobile tandis que le chauffeur engageait la limousine dans l'allée qui menait à la ferme.

— Restez dans la voiture, ordonna Cassandra aux jumelles quand il se fut garé. Je vais voir s'il y a quelqu'un à la maison.

Le chauffeur sortit de la voiture et vint lui ouvrir la portière.

L'endroit n'avait pas changé. Ses parents avaient toujours tiré grand orgueil de leur petite ferme, bien qu'ils aient été obligés de travailler à plein temps à l'usine textile. Bien que Cassandra eût largement les moyens de les entretenir jusqu'à la fin de leurs jours, ils avaient cependant toujours répété qu'ils ne voulaient pas de son argent.

La fille de la maison gravit donc les marches du perron et frappa. Presque aussitôt, un grand barbu vint ouvrir.

— Oh...! Bonjour, lança-t-elle, surprise. Je viens voir M. et Mme Kennard. Je suis Cassandra, leur fille.

— Je sais, déclara l'inconnu, visiblement impressionné, en passant sa grosse main dans sa barbe. Votre photo est dans tous les magazines. Ce qu'il y a, c'est que vos parents sont allés camper quelque part en Floride. Ils sont partis avant-hier, avec toute la famille. On aurait dit une caravane de nomades.

— Combien de temps doivent-ils passer là-bas? demanda la jeune femme d'une voix où perçait la déception.

— Jusqu'à la fin du mois. On a accepté de rester ici pour tenir la ferme et nourrir les bêtes, ma femme et moi, vu qu'on est en train de faire repeindre notre maison. Vos parents étaient au courant de votre arrivée?

— Je voulais leur faire la surprise, répondit Cassandra en secouant la tête. Quand je pense qu'ils ne seront de retour que dans une quinzaine!

Ses parents prenaient toujours leurs vacances durant les semaines qui précédaient la rentrée des classes. Comment avait-elle pu l'oublier?

— Si vous voulez, vous pouvez rester ici, proposa l'homme. On vous fera de la place.

Cassandra hésitait. Vivre pendant plus de deux semaines avec de parfaits inconnus n'était guère tentant, même si c'était dans la maison de ses parents.

— Ce ne sera pas nécessaire, fit-elle enfin. J'ai une autre solution. Merci quand même.

Suivie de l'homme à la barbe, elle repartit vers la limousine. Lorsque le chauffeur vint lui ouvrir la portière, elle se força à sourire.

10

– Si mes parents téléphonent, ne leur dites pas que je suis ici, lança-t-elle au barbu, sachant qu'ils n'hésiteraient pas un instant à écourter leurs vacances. Je tiens à leur faire la surprise.

L'homme hocha la tête, les yeux fixés sur la somptueuse limousine. Quand Cassandra eut regagné la fraîcheur de l'habitacle climatisé, le chauffeur referma la portière et s'installa au volant, où il attendit les instructions.

– Vous prendrez à droite à la sortie de l'allée, s'il vous plaît, dit Cassandra, priant le ciel pour que son idée soit bonne.

– Grand-maman n'est pas chez elle? s'enquit Bree.

– Non. Toute la famille est partie camper jusqu'à la fin du mois, expliqua Cassandra en tentant de dissimuler sa déception. Ça va nous laisser tout le temps d'emménager dans notre nouvelle maison.

La jeune femme entreprit de guider le chauffeur jusqu'à la villa qu'elle avait récemment acquise. Vingt minutes plus tard, la limousine s'arrêta devant. Le spectacle qui s'offrit à Cassandra la laissa bouche bée.

– Vous n'avez qu'à déposer les bagages sur le perron, lâcha-t-elle, enfin remise du choc, tandis que le chauffeur l'aidait à sortir.

Celui-ci s'exécuta, non sans marmonner dans sa barbe des considérations peu aimables sur la quantité de valises qui emplissaient son coffre pourtant vaste. Lorsqu'il eut terminé, Cassandra le gratifia d'un généreux pourboire en le remerciant. Quelques secondes plus tard, la limousine quitta les lieux dans un nuage de poussière.

La jeune femme se demanda soudain si elle ne venait pas de commettre une erreur. Elle avait mal à la tête, ses filles étaient fatiguées. Et si l'intérieur de la villa était en aussi piteux état que sa façade, elle n'était pas sûre d'y pouvoir rester.

Ses filles et elle restèrent un long moment à contempler le décor.

– Quand j'étais petite, expliqua-t-elle en secouant la tête d'un air incrédule, le bus de l'école passait tous les jours devant cette maison. J'ai toujours rêvé d'y habiter.

– Il y avait des vitres aux fenêtres, à l'époque ? demanda Tara.

– Oui. En ce temps-là, tout le monde l'admirait.

Les jumelles ne semblaient guère impressionnées. Comment Cassandra aurait-elle pu les en blâmer ? Bâtie dans les années 1890, la villa était autrefois magnifique. Mais aujourd'hui, même le majestueux portail de fer forgé qui se dressait à l'entrée était à demi effondré, envahi par la rouille.

– On dirait une maison hantée, déclara Bree.

La remarque plongea Cassandra dans une soudaine morosité. Voyant leur mère silencieuse, les jumelles jugèrent le moment venu d'explorer les lieux.

– Ne vous éloignez pas trop, recommanda-t-elle. Et n'entrez pas dans la grange avant que je

12

vous y autorise. La charpente et le plancher sont peut-être pourris. Et surtout, attention aux serpents...

Réalisant que son inquiétude était exagérée, elle s'interrompit. Si sa vie de mannequin avait été enrichissante à de nombreux points de vue, ses voyages et son travail ne lui avaient guère laissé le temps d'apprendre le métier de mère. Ses filles avaient toujours eu une nourrice à plein temps.

Cassandra inspira profondément. Peu importait l'allure délabrée de l'endroit. C'était sa maison. Elle était enfin libre. Bien sûr, il faudrait tout repeindre. Les quatre colonnes qui supportaient le fronton étaient affreusement craquelées, comme d'ailleurs le reste de la façade. Les moulures de bois compliquées qui ornaient la demeure étaient en piètre état. Un volet semblait prêt à tomber au plus léger courant d'air, et plusieurs autres manquaient. Il lui faudrait engager un jardinier, songea-t-elle en remarquant les haies hirsutes et les plates-bandes envahies de mauvaises herbes. Les chênes géants, en revanche, lui arrachèrent un sourire. On eût dit qu'ils tendaient vers elle leurs branches noueuses en guise de bienvenue.

Cassandra sortit de son sac à main le jeu de clés que l'agent immobilier lui avait envoyé par la poste, quelques semaines plus tôt. Après avoir gravi les marches du perron, elle marqua une pause avant d'en introduire une dans la serrure. La porte s'ouvrit sur le vestibule, d'où partait un ample escalier à la rampe duquel manquaient d'innombrables barreaux. Apercevant plusieurs portes latérales, la jeune femme entreprit de visiter le rez-de-chaussée.

Le parquet était irrégulier, et par endroits gondolé par l'humidité. En découvrant une énorme auréole au plafond, elle laissa échapper un soupir de découragement. Au fil des ans, la peinture avait tellement pâli qu'il était impossible de deviner sa couleur originelle. Pourtant, le simple fait d'imaginer le salon peint en rose saumon, avec ses boiseries restaurées, lui mit du baume au cœur.

La vision de la cuisine la fit pâlir. Ce n'était pas d'un simple lifting, comme l'avait prétendu l'agent immobilier, dont cette villa avait besoin. Le plus simple était encore de la raser pour la reconstruire pierre à pierre. Les portes des placards pendaient de leurs gonds. Rien n'était utilisable. Le linoléum du plan de travail avait manifestement été lacéré par des vandales. L'évier était souillé de taches si noires que la propriétaire doutait fort de pouvoir lui rendre un jour sa blancheur. Cassandra réalisa avec effroi qu'il lui faudrait investir une petite fortune pour rendre l'endroit vivable.

— Nous ne pouvons pas rester ici, lâcha-t-elle à haute voix, sa décision prise.

— Et pourquoi pas? répliqua une voix masculine venue du seuil. Si c'est à cause de ce que pourraient penser ceux des environs, ça n'est pas un problème, étant donné que je suis votre seul et unique voisin à des kilomètres à la ronde.

14

Cette voix! Le cœur de Cassandra fit un bond dans sa poitrine. Elle se retourna pour faire face à l'intrus.

— Bill Mitchum..., fit-elle d'un ton incrédule, en posant sur lui un regard stupéfait.

Les années l'avaient mûri sans le vieillir. A première vue, il semblait avoir embelli. Sous l'étoffe de son jean moulant, on devinait les contours de ses cuisses musclées. Il portait une chemise de coton ouverte qui dévoilait la brune toison dont son torse était couvert. Ses manches courtes laissaient apparaître les bras vigoureux aux biceps saillants. Il n'était pas rasé. A son air hirsute, on eût pu croire qu'il sortait tout droit du lit d'une femme. Cigarette au coin des lèvres, il déshabillait Cassandra du regard. Il lui rappela Marlon Brando dans sa jeunesse. Elle voulut détourner le regard, mais n'y parvint pas.

Bill retira la cigarette de sa bouche, sans paraître se soucier des cendres qui tombaient sur le plancher. Une vague surprise flottait dans ses yeux bleus. Peu à peu, ses lèvres esquissèrent un sourire. Sa pose était arrogante, presque agressive.

— On croit rêver, lança-t-il d'un ton sarcastique. La petite Cassandra Kennard est devenue une grande personne, ma parole! Qu'est-ce qui vous ramène au pays? Quelqu'un est mort?

A l'évidence, il n'avait pas changé d'un pouce au fil des ans.

— Je suis revenue vivre ici, répondit-elle avec un sourire forcé, bien décidée à rester aimable.

– On se fait vieille pour poser en maillot de bain?

– Votre courtoisie est décidément légendaire, Bill, lâcha-t-elle sèchement. C'est ce qui m'a toujours frappée chez vous.

Portant la main à sa ceinture, il lui décocha un sourire ravageur qui, songea-t-elle, avait dû faire fondre plus d'un cœur féminin.

– Ça prouve en tout cas que vous vous souvenez de moi. Je suis flatté.

– Je n'en doute pas.

– Vous avez l'intention d'habiter ici? s'enquit-il en promenant sur les lieux un regard circulaire.

– C'était mon intention... Jusqu'à ce que je découvre l'étendue des dégâts.

Les jambes de Cassandra semblaient sur le point de se dérober. Était-ce la fatigue, le découragement ou la présence de ce Bill Mitchum dont les étranges yeux bleus l'avaient toujours fascinée par le contraste qu'ils offraient avec sa peau sombre et ses cheveux d'un noir de jais?

– Et vous? Qu'est-ce que vous faites ici? reprit-elle.

– En voyant ce corbillard sortir de l'allée, je n'ai pas pu résister. J'ai cru un moment qu'un ministre venait de débarquer à Peculiar. Finalement, je suis bien content que ce ne soit pas le cas. Vous êtes bien plus agréable à regarder qu'un ministre.

Il lui adressa un sourire qui découvrit ses dents parfaites.

16

Cassandra ne savait que répondre. Pour elle, Bill Mitchum avait toujours représenté une énigme. Elle se rappelait encore la manière dont il fonçait dans les rues de Peculiar au volant de sa vieille Ford. A l'époque, le bruit courait qu'il passait plus de temps sur la banquette arrière avec des filles que sur le siège du chauffeur. Toutes celles qui étaient sorties avec lui y avaient laissé leur réputation. Adolescente, elle s'était souvent demandée quel effet cela pouvait faire d'être embrassée par Bill Mitchum. Cette seule pensée constituait en ce temps-là un affreux péché. Comme elle avait quatre ou cinq ans de moins que lui, ils n'avaient jamais fréquenté les mêmes personnes. Jeune fille timide, Cassandra avait d'ailleurs très peu d'amis. Il n'en restait pas moins que Bill avait joué un rôle particulièrement actif dans ses fantasmes d'adolescente.

Il s'approcha de l'évier et y jeta sa cigarette, puis s'accouda au bar à côté d'elle et croisa les bras, l'effleurant au passage.

— Vous êtes motorisée ?

Ce léger contact eut sur Cassandra l'effet d'une décharge électrique. Elle s'écarta d'un pas en secouant la tête. Bill sourit.

— Comment comptez-vous vous déplacer ? A Peculiar, vous aurez du mal à trouver une location de limousine avec chauffeur.

Cassandra sourit, bien décidée à lui montrer que ses railleries n'avaient plus aucune prise sur elle qui n'était plus une jeune fille effarouchée.

— Je pensais retrouver mes parents, mais je

17

viens de découvrir qu'ils sont partis camper, expliqua-t-elle un peu trop sèchement. Je compte acheter une voiture. Mais dans l'immédiat, ce qui me préoccupe le plus, c'est de savoir où nous allons passer la nuit.

– Nous? Vous et moi, vous voulez dire?

Comme pour lui répondre, la porte de derrière s'ouvrit d'un coup et Tara resta figée sur le seuil, haletante.

– Bree s'est fait mal! s'écria la petite, sans prêter la moindre attention à Bill. On était en train de jouer sur la balançoire, dans la cour, et la corde s'est cassée d'un seul coup!

Cassandra s'élança au dehors avant qu'elle ait terminé sa phrase. Bill lui emboîta le pas. Découvrant sa fille étalée sur le sol, la mère se pencha fiévreusement sur elle, sans savoir si elle devait la relever. Peut-être s'était-elle cassé quelque chose. La fillette pleurait à chaudes larmes.

– Ce n'est rien, la consola-t-elle en écartant les mèches blondes du petit front de Bree. Maman est avec toi. Tu peux parler?

Elle n'obtint pour toute réponse qu'un bredouillement plaintif. Bill s'agenouilla à son côté.

– La chute lui a simplement coupé le souffle, dit-il en souriant à la petite fille. Elle n'a rien de grave. N'aie pas peur, Boucles d'Or, ça va passer.

– Il faut absolument faire quelque chose! s'écria Cassandra, que la vue de sa fille asphyxiée rendait quasiment folle.

– D'accord, opina Bill sans se départir de son calme, en reposant les yeux sur Bree. Et maintenant, ça te dirait d'essayer de respirer un grand coup? Non? Un petit coup, alors?

Haletante elle aussi, Cassandra assista sans mot dire à la lente récupération de sa fille. Quand celle-ci eut retrouvé son souffle, elle ferma les yeux, soulagée.

– Tu vois, dit Bill à la fillette en l'aidant à s'asseoir, ça va déjà beaucoup mieux. Et maintenant, petite, dis-moi où tu as mal. On va arranger ça.

– A la tête... bredouilla Bree. Et au derrière, aussi.

Horrifiée, Tara porta la main devant sa bouche.

– Maman! s'exclama-t-elle. Tu as vu comment elle parle à ce monsieur?

– Comment va-t-elle? s'inquiéta Cassandra, enveloppant les épaules de Tara d'un bras maternel.

Après avoir palpé les membres de Bree pour détecter une éventuelle fracture, Bill hocha la tête.

– Ça va, répondit-il. Elle ne saigne pas, elle n'a rien de cassé. Juste une jolie bosse sur la tête. Ça devrait pouvoir s'arranger avec quelques glaçons.

Cassandra jeta alentour une série de regards impuissants puis poussa un soupir.

– Depuis notre arrivée, décidément, tout va de travers.

– Emmenons-la chez moi. J'habite un peu plus loin sur la route. Ma Jeep est garée juste devant la porte.

— Chez vous? répéta la jeune femme sans le moindre enthousiasme.

— Ne vous en faites pas, fit Bill en soulevant délicatement la petite blessée. Avant de vous faire entrer, j'ordonnerai à toute ma bande de loubards drogués de débarrasser le plancher.

— Ce n'est pas du tout ce que je voulais dire, balbutia Cassandra en rougissant.

Comme elle ne pouvait décemment pas lui expliquer que malgré ce qu'il faisait pour sa fille, sa seule présence continuait de la troubler, elle se réfugia dans le silence. Portant l'enfant, Bill contourna la maison jusqu'à l'endroit où il avait laissé sa Jeep. Après avoir délicatement posé Bree sur la banquette arrière, il aida Tara à s'installer puis se retourna vers le perron.

— Qu'est-ce donc que tout ce bazar? demanda-t-il en désignant du menton le monceau de valises empilées devant la porte.

— Nos bagages.

— Vous vous changez chaque fois que vous vous lavez les mains, ou quoi? Bon, de toute façon, on ne peut pas laisser ça ici, poursuivit-il sans attendre la réponse. Le soir, des bandes de jeunes viennent souvent traîner dans les parages. Pendant que je charge la voiture, allez boucler la maison. Et dépêchez-vous, si vous ne voulez pas que la bosse de la petite ressemble à une balle de ping-pong.

Lorsqu'il commença à s'activer, Cassandra passa plusieurs secondes à épier du coin de l'œil les mouvements souples de son corps viril. La gorge sèche, elle se demanda s'il était resté aussi odieux que dans sa jeunesse. Reprenant ses esprits, elle entra dans la maison pour récupérer son sac et ses clés, puis ressortit et verrouilla la porte à double tour. L'homme avait presque terminé son chargement.

— Bill..., lança-t-elle d'un ton hésitant. A la réflexion, nous ferions peut-être mieux de prendre une chambre à l'hôtel.

Il éclata de rire.

— Où ça? Au *Shady Lane*? Voyons, ma pauvre dame, ça fait cinq ans qu'il a fermé! Allez, montez.

Elle obéit en lui jetant un regard noir. Ma pauvre dame! Pour qui se prenait-il? Lorsqu'il démarra, Cassandra se retourna vers les jumelles.

— Accrochez-vous, les filles, recommanda-t-elle, tandis que la Jeep se ruait sur la route poussiéreuse. M. Mitchum a passé sa jeunesse à s'entraîner pour devenir pilote de course.

Ravies, les fillettes s'esclaffèrent. Bill se contenta de sourire. Reprenant sa position normale, Cassandra entreprit de faire en silence le point de la situation. Dès que Bree aurait été soignée, il leur faudrait trouver un logement provisoire. Pas question de rester chez Bill une minute de plus que le strict nécessaire. Le trouble qu'elle ressentait en sa présence était dangereux. Elle lui glissa un coup d'œil en coin. Les histoires qui couraient sur le compte de cet homme l'avaient toujours intriguée. Certains affirmaient qu'il s'agissait du fils illégitime d'un chef indien, ce qui tendait à expliquer la couleur de sa peau. Selon eux, la mère de Bill aurait connu son père pendant qu'elle œuvrait avec un détachement d'assistantes sociales dans une réserve indienne de Caroline du Nord. Le scandale avait éclaté un peu plus tard, quand elle était revenue enceinte dans sa famille. De santé fragile, elle était morte en couches, laissant le nourrisson à la garde de grands-parents qui ne l'aimaient pas. Combien de fois Cassandra n'avait-elle pas rêvé de lui! Aujourd'hui encore, un seul regard de ses yeux bleus faisait bondir son cœur.

A la dérobée, Cassandra observa ses mains vigoureuses, manifestement habituées aux plus durs travaux, mais qui s'étaient posées sur sa fille avec une étonnante délicatesse. Elles étaient sombres, comme son visage, dont les traits, quoique réguliers, semblaient taillés au couteau. Ses étonnants yeux clairs étaient toujours en mouvement, comme si Bill redoutait de se laisser surprendre par quelque invisible ennemi. Ses lèvres pleines indiquaient une sensualité marquée. Soudain, les yeux bleus croisèrent de plein fouet le regard de Cassandra, qui se détourna en rougissant, humiliée d'avoir été surprise. A en juger par son expression satisfaite et narquoise, Bill semblait persuadé d'être une espèce de dieu vivant pour toutes les femmes de la planète.

Quelques minutes plus tard, la Jeep s'immobilisa devant la maison de Bill, une ferme à étage récemment repeinte en blanc.

– C'est ici qu'habitait le vieux Trotter, remarqua Cassandra, surprise.

– Plus maintenant.

– Pourquoi habitez-vous ici?

– Mon teepee a brûlé.

Elle le fusilla du regard.

– A la mort de Trotter, reprit-il en riant, j'ai racheté cette ferme pour une bouchée de pain. Personne n'en voulait.

Il gara la Jeep à l'ombre d'un bouquet de grands chênes. Aussitôt, un épagneul au pelage flamboyant vint les accueillir en battant de la queue.

– Salut, Duke, lança Bill en sautant à bas du véhicule. Je t'amène de la compagnie.

– Il mord? demanda Tara, inquiète.

– Non. Duke adore les enfants. Pas vrai, mon grand? dit-il en flattant la tête de l'animal.

– Je peux jouer avec lui? s'enquit Bree.

Bill aida Tara à descendre puis reprit sa sœur dans ses bras.

– Chaque chose en son temps, mademoiselle. Dès qu'on se sera occupé de ta bosse, tu pourras jouer avec lui autant que tu voudras. Si tu veux, je pourrai même t'apprendre à le faire chanter.

– Il sait chanter? s'exclama la fillette, les yeux écarquillés.

– Les chiens ne chantent pas, marmonna Tara, incrédule.

– En tout cas, il essaie. Apparemment, il est même persuadé d'avoir du talent. Cela dit, je dois admettre qu'il chante légèrement faux.

Quelques minutes plus tard, tout en maintenant un paquet de glaçons improvisé sur la tête de Bree, Cassandra but un thé glacé. L'intérieur de la maison était charmant. Bill avait lui-même restauré avec goût la plupart des meubles, tous anciens et rustiques. Le regard de la jeune femme se posa finalement sur une photographie solitaire accrochée au mur.

– Votre mère?

Il hocha la tête.

– Tenez, les filles, voici pour vous, annonça-t-il en leur tendant les verres de jus de cerises qu'il venait de préparer.

Avant d'entrer chez cet homme, Cassandra s'était attendue à découvrir un décor d'apocalypse, avec boîtes de bière écrasées et vêtements sales. Jamais elle n'aurait pensé qu'il pût avoir du jus de cerises dans son réfrigérateur. Force lui était d'admettre qu'elle l'avait mal jugé.

Ce fait ne changeait pourtant pas les données fondamentales du problème. Il leur fallait trouver un endroit où passer la nuit. Car même si Bill s'était montré irréprochable depuis l'accident de Bree, il aurait fallu être aveugle pour ne pas remarquer la manière dont il la dévorait du regard. Elle avait la désagréable impression de jouer une nouvelle version du loup et de l'agneau. Bill était le loup. Elle, l'agneau.

– J'ai faim, maman, déclara Bree une demi-heure plus tard, lorsque Cassandra la soulagea des glaçons après s'être assurée que sa bosse avait désenflé.

— Chut, lui glissa-t-elle en priant pour que Bill ne l'ait pas entendue. Je te ferai dîner dès que possible.

— Vous savez quoi? dit celui-ci aux jumelles. Si vous allez fouiner un peu dans l'écurie, vous avez de grandes chances d'y trouver une portée de chatons.

Poussant des cris de joie, elles partirent vers la porte de· derrière. Non sans avoir adressé d'ultimes recommandations à Bree, Cassandra les laissa aller. Lorsqu'elles eurent disparu, la mère se retourna vers Bill, terriblement mal à l'aise. Tout à coup, la pièce semblait s'être réduite au point d'être trop petite pour eux deux. En silence, ils échangèrent un regard qui dura des siècles.

— Je ne suis pas un grand cuisinier, dit finalement Bill, mais je sais quand même préparer des hamburgers.

— Nous nous sommes déjà assez imposées comme ça, répondit-elle, tandis qu'une voix intérieure la suppliait de rappeler ses filles et de partir sur-le-champ.

Si seulement elle avait loué une voiture au lieu d'utiliser la limousine que sa secrétaire lui avait réservée! Mais son stupide orgueil l'avait poussée à organiser un retour en grande pompe. Quelle idée!

— Aucun problème. Je vais mettre le gril en route et prendre une douche pendant qu'il chauffe. Écoutez, Cassandra, ajouta-t-il en voyant qu'elle hésitait, je ne vais ni vous scalper ni jeter vos filles sur le bûcher. Il y a des siècles que ça ne se fait plus.

— Pourquoi dites-vous ça?

— Et vous? Pourquoi êtes-vous si mal à l'aise? Le pire qui puisse vous arriver, c'est que je vous emmène prendre cette douche avec moi.

Cassandra rougit. Même s'il plaisantait, l'idée lui fit un violent effet. Elle se força à sourire.

— J'apprécie votre invitation. A dîner, je veux dire. Mais...

Mais quoi? A court d'arguments, la jeune femme s'interrompit. Avait-elle le choix?

— Que puis-je faire pour vous aider? conclut-elle en poussant un soupir.

— Le mieux, c'est encore que vous vous débarrassiez de vos chaussures et que vous vous installiez sur le fauteuil à bascule. J'aimerais voir disparaître ces rides d'inquiétude de votre joli front.

Avant que Cassandra ait pu réaliser ce qui se passait, elle se retrouva assise sur le fauteuil. Agenouillé devant elle, Bill entreprit de lui ôter ses chaussures à hauts talons.

— Je ne comprends pas comment vous pouvez supporter des engins pareils, vous, les femmes, marmonna-t-il en considérant le talon effilé du soulier qu'il tenait en main. Ça doit être une torture quotidienne.

Lorsqu'il se mit à lui masser délicatement le pied gauche, Cassandra en resta bouche bée, incapable de la moindre réaction.

26

– Cela dit, je dois reconnaître qu'il n'y a rien de plus aguicheur, surtout au bout de jolies jambes. Et les vôtres sont tout à fait à la hauteur. Je vous ai assez vue dans des pubs de lingerie pour le savoir. Pour le reste, je me fie à mon imagination.

La voix de la raison ordonnait à Cassandra de couper court au massage et à la conversation, mais elle ne put s'y résoudre. Ses nouvelles chaussures la faisaient souffrir depuis le matin. Sous les mains expertes de Bill, elle se détendit peu à peu.

– C'est de la soie?

– Pardon? fit-elle en tressaillant.

– Vos bas. Ils sont en vraie soie?

Elle hocha la tête.

– Où sont les filles? dit-elle d'un air absent.

– A l'écurie. Rassurez-vous, elles ne risquent rien. Je ne laisse jamais traîner mes outils.

– J'adore les massages, soupira-t-elle en fermant les paupières. Ça fait tant de bien...

Si elle avait pu voir le sourire qu'il lui décocha, elle aurait probablement pris ses jambes à son cou.

– Je m'en souviendrai. Et maintenant, vous devriez vous étendre sur le canapé pour faire un petit somme avant le dîner. Je vais jeter un coup d'œil à l'écurie avant de passer sous la douche. A moins que vous ne vouliez m'y accompagner...

– Non! cingla-t-elle en ouvrant les yeux.

– Ce sera pour une autre fois, répondit-il, haussant les épaules.

– J'en doute, lâcha Cassandra, le cœur battant.

– Toujours la même, hein?

– Que voulez-vous dire?

– Vous vous êtes toujours conduite comme une jeune fille modèle. Ou peut-être, plus simplement, pensez-vous qu'un vulgaire sang-mêlé est indigne de vous.

– Vous non plus, vous n'avez pas changé, Bill. C'est ridicule.

– Je me demande si la célébrité vous a transformée, madame Clair, poursuivit-il comme s'il ne l'avait pas entendue, ou si vous êtes restée, tout au fond, cette jeune fille bien sage qui portait des socquettes et a attendu d'avoir passé son bac pour commencer à s'épiler les jambes.

Cassandra se demanda comment il avait pu remarquer un tel détail, mais décida de passer outre.

– Je ne suis pas une prude, lâcha-t-elle d'un ton sec. D'ailleurs, vous pouvez vous dispenser de m'appeler madame : figurez-vous que je suis divorcée.

– C'est ce que j'ai entendu dire. Les vieux auraient-ils donc fini par vous dégoûter?

– Vous n'avez pas le droit! cingla-t-elle en se levant d'un bond.

La jeune femme regretta aussitôt son geste. Elle était maintenant nez à nez avec Bill, si près que sa mâle odeur lui mit les sens en ébullition. Il ne portait pas d'eau de Cologne.

– Vous devriez peut-être essayer un type plus jeune, insista-t-il sans se laisser démonter.

Quelqu'un qui serait encore en possession de tous ses moyens.

— Vous êtes grossier, dit-il d'une voix tendue.

— Je sais, répondit-il en souriant. Avec des gens comme vous, c'est tellement amusant!

— Si vous m'en voulez, c'est uniquement parce que vous n'avez pas réussi à m'entraîner sur la banquette arrière de votre voiture.

— Ça ne vous aurait pas déplu. Je suis sûr que vous y avez pensé.

— Jamais, mentit-elle.

— Mais si, repartit-il en fixant sur elle un regard pénétrant. Simplement, on vous a toujours mis dans la tête que la virginité était sacrée... Ce qui n'est pas plus mal, d'ailleurs. Les vierges ne m'ont jamais intéressé.

Lèvres pincées, Cassandra s'efforça de garder son calme.

— Voudriez-vous avoir l'obligeance de nous conduire jusqu'à l'hôtel le plus proche, mes filles et moi? pria-t-elle le plus courtoisement possible. Je suis prête à vous payer pour le dérangement.

— En argent?

— En argent, répéta-t-elle en rechaussant ses souliers. Si vous refusez, je vais appeler le commissariat pour qu'il nous envoie une voiture, ajouta-t-elle, sachant qu'il n'y avait pas un seul taxi à Peculiar.

Une gifle n'aurait pas eu plus d'effet sur Bill. Il la dévisagea un long instant en silence.

— Vous n'êtes pas comme les autres, Cassandra, dit-il enfin d'un ton pensif. Je viens de me conduire comme un imbécile. Je n'avais pas réalisé que j'avais une adulte en face de moi. Je vous demande pardon.

Ce fut au tour de Cassandra d'être désarçonnée. Sans savoir que dire ou que faire, elle baissa les yeux sur ses chaussures. Était-ce une nouvelle ruse destinée à la séduire?

– Il faut croire que je traîne toujours avec moi les vieilles rancœurs du passé, lâcha-t-il d'un air sombre.

– Ce qui veut dire? demanda-t-elle en relevant les yeux.

– Vos parents m'engageaient souvent pour de petits boulots, mais ils ne m'ont jamais trouvé digne d'être invité à dîner. Quand je venais couper du bois, votre mère avait l'habitude de me donner un verre d'eau glacée à la porte de la cuisine. Il ne lui serait pas passé par la tête de m'inviter à entrer deux minutes. Quant à vous, vous m'avez toujours snobé comme si j'étais un moins que rien.

– C'est faux!

– Quand on se croisait, vous détourniez la tête.

– Vous étiez plus vieux, vous m'intimidiez. Je ne savais pas quoi vous dire.

– Ce n'est pas ça. Vous ne vous intéressiez qu'à vos amis de la haute, qui avaient de beaux vêtements et le portefeuille bien garni.

– Vous êtes injuste! En un sens, j'ai toujours admiré votre... indépendance d'esprit. Mais j'ai été élevée d'une autre façon. Quant à mes parents et à la plupart des gens de la ville, je crois qu'ils avaient peur de vous.

30

Il partit d'un bref éclat de rire.

– Peur?

– Vous vous saouliez, vous faisiez du tapage et vous ne pouviez pas démarrer votre voiture sans faire hurler les pneus. Vous étiez la hantise des mères de toutes les filles de Peculiar. Quant à la bande que vous fréquentiez...

Craignant d'en avoir trop dit, Cassandra s'interrompit. Que se passerait-il si elle mettait en colère le terrible Bill Mitchum?

Songeur, il passa la main dans ses cheveux noirs et fournis.

– Vous ne m'apprenez rien, lâcha-t-il.

Au moins, elle était sincère. Sans doute était-ce le fruit de sa belle éducation. Son grand-père à lui ne s'était jamais donné la peine de lui expliquer les vertus de l'honnêteté. Il s'était contenté d'attendre son premier faux pas pour le mettre à la porte.

– Restez dîner, Cassandra, dit-il d'une voix douce. J'essaierai de bien me tenir. Vous pouvez vous rasseoir, ajouta-t-il sans attendre sa réponse. Je vais jeter un coup d'œil sur les filles.

La jeune femme voulut refuser, mais la fatigue du voyage l'emporta sur ses hésitations. Après tout, Bill semblait sincère. Sachant comment il avait été élevé, elle pouvait difficilement lui reprocher la rudesse de son comportement. Il avait été sevré d'amour et abruti de corvées durant toute son enfance. Au dire de bien des gens, ses grands-parents l'avaient traité comme un esclave.

Cassandra se rassit sur le fauteuil à bascule, retira une seconde fois ses chaussures et se mit à se balancer doucement. Elle ferma les paupières et sombra vite dans un profond sommeil, où se forma bientôt l'image d'un homme à la peau sombre et aux yeux bleus.

2

LE contact d'un doigt qui jouait sur son épaule réveilla Cassandra. En ouvrant les yeux, elle découvrit tout près du sien le visage de Bree.

— Bill a dit de te prévenir que le dîner est prêt. Au fait, ajouta-t-elle d'un air mystérieux, tu savais qu'il est à moitié indien? Tara dit que c'était mal élevé de lui demander pourquoi il a la peau si foncée. Moi, je ne trouve pas. Tu trouves ça mal élevé, toi?

Encore à demi endormie, Cassandra préféra changer de sujet.

— Où est Bill? demanda-t-elle en étouffant un bâillement.

— Il est en train de retirer les hamburgers du feu.

Au même instant, celui-ci apparut sur le seuil, un plat dans les mains. Cassandra rougit en surprenant le regard insistant qu'il dardait sur ses longues jambes à demi découvertes.

— J'ai dormi longtemps? demanda-t-elle pour dissimuler son embarras tout en se levant.

— A peu près une heure, répondit-il, fasciné par

les rondeurs qu'il devinait sous le corsage de soie. Comme vous aviez l'air épuisée, j'ai attendu un peu avant de mettre le dîner en route. J'espère que vous ne m'en voulez pas.

— C'est très gentil, fit Cassandra en lui rendant son sourire.

Elle considéra ses chaussures, mais le souvenir de ses pieds endoloris la dissuada de les remettre. Lorsqu'elle s'approcha de Bill, il lui parut immense.

— Vous seriez surprise de savoir à quel point je peux être gentil quand je veux.

— Nous ne devons pas parler de la même chose, répondit-elle, troublée.

Les cheveux de son hôte étaient encore humides. Il avait passé un jean et une chemise propres.

— Vous avez l'intention de rester plantée là longtemps à me regarder? la taquina Bill.

— Je ne vous regardais pas, se défendit-elle. Simplement, je suis surprise de voir que vous avez déjà pris votre douche.

— Malgré mes origines, j'ai appris à me laver tout gosse, répliqua-t-il. Et maintenant, si vous voulez vous asseoir...

— Ce n'est pas ce que je voulais dire, Bill, soupira-t-elle avec un soupçon de découragement. Si ça ne vous dérange pas, j'aimerais faire un brin de toilette avant de dîner.

Les jumelles prirent place autour de la table. Cassandra remarqua que Bill avait préparé une salade.

– La salle de bains est à gauche au fond du couloir, lui dit-il tout en servant généreusement les fillettes.

La jeune femme alla s'asperger le visage d'eau froide. Malgré son somme, elle avait l'air épuisée. Par la fenêtre, elle vit que le crépuscule s'était abattu sur la campagne. Où allaient-elles passer la nuit?

Lorsqu'elle s'assit à table, les jumelles avaient presque terminé leur assiette.

– Je croyais que les hommes ne savaient pas cuisiner, déclara Bree, rassasiée.

– On ne parle pas la bouche pleine.

– Papa ne sait pas, lui, insista-t-elle après avoir avalé sa bouchée.

– Peut-être qu'il n'a jamais eu besoin d'apprendre, répondit Bill en passant la main dans la blonde chevelure de la fillette.

– Tu as des enfants?

– Non, Boucles d'Or. Ici, il n'y a que Duke et moi. Et aussi des vaches et quelques chevaux. Et toi? Tu as des enfants?

– Bien sûr que non, idiot! Je n'ai que six ans!

Il affecta un air surpris.

– Vraiment? Et moi qui ai cru depuis le début que tu étais presque adulte!

La fillette éclata de rire.

– Tu crois qu'il plaisante, maman? fit Tara en levant vers sa mère ses grands yeux perplexes.

– J'en ai bien peur, ma chérie, répondit Cassandra en adressant à Bill un sourire moqueur. M. Mitchum adore taquiner. Quand j'étais plus jeune, ajouta-t-elle en croisant le regard bleu fixé sur elle, il passait son temps à mettre les filles d'ici en boîte.

— Mais pas ta maman, expliqua Bill en adressant à Tara un clin d'œil complice. Ce n'était pas le genre de fille à se laisser taquiner.

Confuse, Cassandra jugea le moment venu de changer de sujet.

— Tu ferais bien de finir avant que ça refroidisse, conseilla-t-elle à Bree.

Sentant peser sur elle le regard espiègle de Bill, elle se concentra sur son assiette.

— Monsieur Mitchum, commença Tara, rompant le silence. C'est quoi, ce poney que j'ai vu dans l'étable?

— Tu peux m'appeler Bill, suggéra-t-il. C'est un Shetland et il s'appelle Pompon. Il est doux comme un agneau. Je l'ai acheté à un couple qui partait pour le Texas.

— Qu'est-ce que vous allez en faire?

— Eh bien, je... J'ai l'intention de lui trouver une épouse pour qu'ils fondent une famille.

— Comment fait-on pour avoir un bébé poney? demanda gravement Bree.

— On prie, idiote, intervint Tara, tout aussi sérieuse. N'est-ce pas, monsieur... Bill?

Cassandra se tortillait sur sa chaise, promenant son regard effaré de Bree à Tara et de Tara à Bill. Celui-ci, pour se donner le temps de réfléchir, posa lentement les coudes sur la table et joignit les mains.

— C'est une possibilité, répondit-il enfin en luttant pour contenir son hilarité. Mais pour les cas où ça ne marche pas, je suis presque sûr qu'il y a une autre manière.

– J'ai promis aux filles de leur offrir un poney quand nous serons installées, intervint Cassandra.

– Je pourrais peut-être vous aider, proposa Bill. Je connais plusieurs éleveurs qui...

– Ce ne sera pas nécessaire, fit poliment la jeune femme. Je connais très bien les chevaux. J'ai beaucoup pratiqué l'équitation, dans ma jeunesse. A vrai dire, j'ai même gagné une bonne douzaine de concours hippiques. D'ailleurs, mes chéries, il va falloir que vous commenciez à prendre des leçons.

Bill garda le silence. Apparemment, Cassandra n'avait que faire de ses conseils.

Un instant plus tard, il remarqua que Bree commençait à piquer du nez dans son assiette.

– Cette petite tombe de sommeil, dit-il à Cassandra.

Elle acquiesça en regardant sa montre.

– Restez ici pour cette nuit, proposa-t-il, soudain attendri, à la grande surprise de Cassandra. Il y a de la place à revendre à l'étage. Bien sûr, ce n'est pas le *Ritz*, mais vous serez quand même bien installées. D'ailleurs, vos bagages sont déjà ici. Que vous faut-il de plus ?

Cassandra voulut résister, mais la vision de ses deux jumelles exténuées la fit revenir sur son premier mouvement. En outre, elle n'avait pas de voiture, le seul hôtel de Peculiar était fermé et elle tombait de sommeil. Demain, Bill les conduirait à la ville voisine où elles prendraient une chambre.

— Vous avez déjà tant fait pour nous...

— C'est à ça que servent les voisins, ma belle. Et maintenant, plutôt que de discuter, je vais monter votre montagne de bagages au premier.

Vaincue, Cassandra décida de rester.

— D'accord, soupira-t-elle. Pendant ce temps, je vais débarrasser la table. Bree, va donc t'étendre sur le canapé en attendant que j'aie fait ton lit.

Tara se leva et entreprit d'aider sa mère.

— Je ne sais pas ce que je deviendrais sans toi, lui dit Cassandra tandis qu'elles rangeaient la cuisine.

Autant Bree était insouciante et spontanée, autant Tara était sensible et réfléchie. En lui parlant, Cassandra avait souvent peine à croire qu'elle n'avait que six ans.

— Maman? Tu aimes bien M. Mitchum..., je veux dire, Bill?

— Bien sûr, Tara, répondit la jeune femme d'un ton léger. Pas toi?

La fillette haussa les épaules.

— Il est gentil. Mais je n'aimerais pas que tu te maries avec lui.

— D'où t'est venue une idée pareille? demanda Cassandra, sidérée. Je ne l'avais pas vu depuis des années. Si nous sommes ici, c'est uniquement parce que nous n'avons pas d'autre endroit où aller. Demain, nous trouverons une chambre à l'hôtel.

Tara parut soulagée.

– Il a une drôle de manière de te regarder, poursuivit gravement Tara. Je n'ai pas envie que tu te remaries. Avec papa, ça n'était pas drôle. Tu pleurais souvent. Tu croyais qu'on ne se rendait pas compte, mais je te voyais, moi. Et puis tu ne jouais presque pas avec nous. Quand papa est parti, c'était mieux.

Stupéfaite, Cassandra ne savait que répondre. Ainsi, malgré son jeune âge, Tara n'avait pas été dupe de la comédie que Jean-François et elle s'étaient efforcés de jouer devant leurs enfants.

– Tu ne m'avais jamais parlé comme ça, chérie, fit-elle en serrant la fillette sur son cœur. A partir de maintenant, on n'est rien que nous trois. Il n'y a que ça qui compte. On fait équipe.

Un sourire illumina les traits de Tara.

– Tout est prêt, mesdames, annonça Bill en pénétrant dans la cuisine. J'ai même fait les lits. Votre chambre est juste en face de celles des filles, Cassandra.

De retour au salon, il considéra le canapé où Bree dormait en chien de fusil.

– Vous voulez que je la porte jusqu'à son lit? proposa-t-il.

– Volontiers, opina Cassandra. Je ne sais pas si elles ont poussé trop vite ou si mon dos n'est plus ce qu'il était, mais je n'y arrive plus.

Bill souleva la fillette sans effort et la monta au premier étage, suivi de Cassandra et Tara, puis il entra dans la chambre qu'il leur avait attribuée et la déposa délicatement sur l'un des lits jumeaux.

– Merci, chuchota Cassandra en débarrassant Bree de ses souliers.

Bill s'éclipsa et ses pas résonnèrent bientôt dans l'escalier. La jeune femme déshabilla sa fille et, après avoir fouillé dans une valise, la revêtit d'une chemise de nuit et en tendit une autre à Tara.

– Je te dispense de prendre un bain, lui dit-elle, mais n'oublie pas de te laver les dents.

Quand ses deux filles furent couchées et bordées, Cassandra les embrassa l'une après l'autre.

– Bonne nuit, mon amour, glissa-t-elle à Tara.

– Où vas-tu?

– Finir de ranger la cuisine.

– Reviens vite.

– Ne t'inquiète pas. Si tu as besoin de moi cette nuit, ma chambre est juste en face.

Après avoir hoché la tête, Tara se retourna sur le côté. Cassandra laissa la porte entrouverte. Parvenue au sommet de l'escalier, elle resta plusieurs secondes immobile en se remémorant les paroles qu'avait eues sa fille à la cuisine et pria mentalement pour qu'elle puisse oublier au plus tôt les souffrances du passé.

Lorsqu'elle rejoignit la cuisine, Bill avait déjà tout rangé et remplissait deux bols de café brûlant.

– Pourquoi avez-vous fini? protesta-t-elle. J'allais justement le faire.

– Parce que vous avez l'air épuisée. Mettez-vous à l'aise dans le salon pendant que je passe un coup de balai, dit-il en lui tendant un bol. La crème et le sucre sont sur la table.

– Non, merci. Au début de ma carrière, on m'a

40

forcée à abandonner le sucre, la crème et une foule d'autres bonnes choses. J'ai fini par m'y habituer.

— Peut-être y reviendrez-vous un jour, maintenant que vous êtes de retour. D'ailleurs, je trouve que quelques kilos supplémentaires vous feraient le plus grand bien.

— Merci, Bill, dit doucement Cassandra en le regardant balayer.

— Merci pour quoi? s'enquit-il en levant sur elle des yeux surpris.

— Pour tout. Pour votre hospitalité.

— Vous ne croyez quand même pas que j'allais vous laisser à la rue. Je ne suis peut-être pas un saint, mais ce n'est pas une raison.

— Vous avez changé.

— Tout le monde change. C'est la vie, répondit-il en rangeant le balai dans un placard.

— Qu'est-ce qui vous a fait changer?

Il la considéra de nouveau avec étonnement.

— J'ai grandi, Cassandra, déclara-t-il d'un ton léger. Exactement comme vous.

Comme pour appuyer ses propos, il laissa tomber son regard sur la gorge de la jeune femme. Une lueur sombre passa dans ses yeux, tandis que ses lèvres esquissaient un sourire.

— Sur certains points, ajouta-t-il, je n'ai pas changé d'un pouce.

— Par exemple?

— Quand je veux quelque chose, je vais droit au but.

— Et vous l'obtenez souvent?

Les yeux bleus se plantèrent dans ceux de Cassandra.

— Toujours.

Le sens de ses propos claqua aux oreilles de Cassandra comme un coup de fusil. Il lui fallait fuir au plus vite ce regard hypnotique où elle était en train de se noyer. Elle bredouilla une excuse et disparut dans le couloir, puis franchit le seuil de la maison et sortit sur le perron, serrant convulsivement le bol de café entre ses mains tremblantes. Une fois encore, la conversation avait glissé sur un terrain dangereux. C'était en partie de sa faute. A présent, il ne lui restait plus qu'à avaler son café et monter directement se coucher.

Une légère brise répandait un peu de fraîcheur dans la chaude nuit d'août et faisait bruire les frondaisons. Dans un coin de la véranda, une banquette en osier lui tendait les bras. Succombant à sa faiblesse, Cassandra s'y laissa tomber. Un instant plus tard, la porte-fenêtre grinça et Bill apparut dans l'embrasure, son bol à la main.

— Je ne vous dérange pas? demanda-t-il en s'approchant.

— Non, bien sûr, répondit-elle poliment.

Lorsqu'il s'assit à ses côtés sur la banquette, la jeune femme se raidit.

— Rassurez-vous, Cassandra, fit-il en riant. Je n'ai jamais violé personne.

Elle avala une gorgée de café.

— Peut-être n'en avez-vous jamais eu besoin, murmura-t-elle sur un ton faussement léger.

— C'est mon heure préférée, lâcha Bill à voix

basse, ignorant la remarque. L'heure où les criquets et les grenouilles se mettent à chanter pour vous distraire de vos soucis.

Cassandra était de plus en plus déroutée. Comment Bill Mitchum en était-il venu à vivre entouré d'animaux dans une paisible fermette, lui qu'elle aurait plutôt imaginé au guidon d'une Harley Davidson, une femme tatouée en croupe?

— Vos filles sont magnifiques, dit-il gaiement. Jamais je ne vous aurais imaginée mère de jumelles.

— Elles sont tout pour moi.

— Leur père ne trouve pas que vous vivez un peu loin? La distance ne va pas lui faciliter les visites. Il ne s'en est pas plaint?

— Non.

Cassandra n'avait aucune envie de lui avouer que Jean-François se souciait peu de ses filles. Lorsque Cassandra, à l'apogée de sa carrière, avait refusé d'interrompre sa grossesse, il avait été fou de colère. Ensuite, il avait décrété que puisqu'il en était ainsi, Cassandra serait l'unique responsable de leur éducation.

En allongeant le bras sur le dossier de la banquette, Bill lui effleura l'épaule. Elle tressaillit mais tenta de se ressaisir en songeant qu'elle était ridicule.

— Et maintenant? demanda-t-il. Que comptez-vous faire?

— Commencer une nouvelle vie, répondit-elle sans l'ombre d'une hésitation. Tout reprendre à zéro... Et voir ce que je peux tirer de l'espèce de ruine que je viens d'acheter.

– Vous laissez tomber votre carrière?

– Je n'ai pas dit ça.

– Vous préférez peut-être ne pas en parler...

Cassandra l'observa à la dérobée. La clarté lunaire mettait en valeur la perfection de ses traits, son nez droit, sa mâchoire carrée et ses lèvres sensuelles. Il émanait de lui un charme magnétique.

– Vous savez garder un secret? demanda-t-elle en esquissant un sourire.

– On le dit.

Cette fois, elle éclata de rire.

– Vous voulez dire que vous n'avez jamais raconté à vos copains vos exploits avec les filles, vous qui les ramassiez à la pelle?

– Vous pensez que chaque fois que j'embrassais une fille, je courais m'en vanter? lâcha-t-il d'un ton malicieux en laissant glisser ses doigts sur l'épaule de Cassandra. Pourquoi n'essayez-vous pas, pour vérifier?

Elle resta pétrifiée, les sens en état de choc.

– Ça fait un bout de temps, pas vrai, Cassandra?

– Quoi donc? parvint-elle enfin à murmurer.

– Que vous n'avez pas connu d'homme.

Priant pour qu'il ne la vit pas rougir dans la pénombre, la jeune femme réalisa qu'il avait raison. Son mariage avait été un échec complet, sur le plan physique comme sur le plan émotionnel.

– Ça ne vous regarde pas, répondit-elle, les yeux perdus dans le noir de la nuit.

– Je l'ai su dès que je vous ai vue. Le vide, la

solitude, le besoin de caresses se lisent dans votre regard.

— Et je suppose que vous vous imaginez être l'homme de la situation pour tout remettre en ordre? répliqua-t-elle en se tournant vers lui pour le regarder en face.

— Peut-être.

— Vous pouvez toujours attendre, lâcha-t-elle en esquissant le geste de se lever.

Bill lui attrapa le poignet pour la retenir.

— La colère vous va mal, souffla-t-il en lui lâchant le poignet pour lui prendre le menton et la forcer à relever le regard sur lui. Vous avez de si beaux yeux... Pourquoi sont-ils tellement durs avec moi?

Hypnotisée, Cassandra s'aperçut qu'elle retenait son souffle. Dans le ciel, les étoiles scintillaient comme autant de diamants. Les bruits de la nuit faisaient vibrer ses tympans. Elle frissonna. Les yeux bleus semblaient percer tous les secrets de son âme.

— Vous savez ce que je pense? murmura-t-il. Je pense que vous avez envie de ce baiser au moins autant que moi.

La jeune femme voulut protester, mais il l'attira contre lui et s'empara de ses lèvres avant qu'elle ait pu exprimer un son.

Submergée par un torrent de sensations, Cassandra se laissa embrasser. Aussi longtemps que dura le baiser, seuls les battements frénétiques de son cœur lui rappelèrent que le temps existait toujours. Quand il resserra son étreinte, elle se

45

plaqua instinctivement contre lui, avide d'absorber la chaleur de son corps et de sentir chacun de ses muscles sur sa peau frissonnante de désir. Bill laissa glisser la main sur la gorge de Cassandra, qui poussa un voluptueux soupir et s'abandonna, pantelante, au furieux affrontement de leurs bouches. Lorsqu'il s'écarta, elle aspira une longue goulée d'air.

Pendant un moment interminable, ils se regardèrent en silence. Soudain, Bill sourit.

— Ça répond à votre question?

Sous le coup de l'émotion, Cassandra s'efforça de reprendre ses esprits.

— Quelle question? Celle de votre discrétion au sujet de vos conquêtes?

— Non. Celle que vous posiez dans votre journal intime. Vous vous demandiez quel effet ça ferait d'être embrassée par moi...

— De quoi parlez-vous? dit-elle, interloquée. Qu'est-ce que mon journal intime vient faire là-dedans?

Il y avait des lustres qu'elle avait oublié l'existence de ce journal, auquel elle confiait autrefois ses pensées les plus secrètes. Et surtout, comment Bill avait-il pu en avoir connaissance?

— Je n'aurais pas dû en parler, lâcha-t-il.

— Trop tard, répondit Cassandra en croisant les bras. Continuez.

Il soupira, certain qu'elle n'allait pas apprécier ce qu'il allait lui conter.

— Vous vous rappelez l'été où vos parents m'ont embauché pour repeindre l'intérieur de votre maison?

Elle fouilla dans sa mémoire, puis hocha la tête.

– Vous deviez avoir autour de quinze ans. Eh bien, je...

– Eh bien quoi?

– Avant de repeindre votre chambre, pendant que je déménageais les meubles, le tiroir de votre commode est tombé par terre et c'est là que je l'ai découvert.

– Mon journal?

– Oui. C'était diablement tentant d'y jeter un coup d'œil.

– Et qu'y avez-vous lu?

– Des tas de choses.

– C'est affreux! s'exclama-t-elle en rougissant jusqu'aux oreilles. Vous n'avez donc aucun respect pour l'intimité des gens?

Sourd à ses protestations, Bill l'attira de nouveau contre lui.

– A l'époque, non. Et puis j'avais envie de savoir en quoi vous étiez différente des autres. Ce n'était pas seulement parce que vous étiez la plus jolie fille de la ville. Il y avait autre chose.

Malgré elle, Cassandra se sentit flattée. Puis elle se souvint avec horreur qu'une bonne partie des fantasmes qu'elle couchait dans son journal avait Bill Mitchum comme personnage principal. Jamais elle n'aurait dû penser que son cahier était en sûreté dans son tiroir.

– Je n'étais qu'une enfant, lâcha-t-elle pour se justifier. Vous étiez plus vieux, vous m'impressionniez. Peut-être que j'étais... un peu amoureuse de vous. J'ajoute que personne ne m'avait jamais embrassée, ajouta-t-elle en se levant. Je crois que je vais me coucher.

Loin de chercher à la retenir, Bill l'imita.

– Je n'aurais jamais dû vous parler de ce journal, murmura-t-il en l'enlaçant.

Avec une feinte indifférence, Cassandra haussa les épaules. En vérité, elle souhaitait désespérément se souvenir de ce qu'elle y avait écrit. Le vieux cahier était sûrement enfoui au fond d'un carton dans un coin du grenier de ses parents. Elle finirait bien par l'y retrouver.

– Aucune importance, fit-elle. Comme je vous l'ai dit, je n'étais qu'une enfant. Les enfants sont parfois pleins d'imagination.

– Les adultes aussi.

Sans prendre la peine de relever sa remarque, Cassandra ramassa les tasses et les emporta à la cuisine, l'esprit empli de l'extraordinaire baiser qu'ils venaient d'échanger. Il lui emboîta le pas, attendit qu'elle eut posé les tasses sur l'évier et l'enlaça de nouveau.

– Je pourrais vous manger toute crue...

– Bill... A quoi ça vous avancerait, si je ne veux pas?

– De toute façon, je suis patient. J'attendrai que vous veniez à moi, dit-il en souriant.

– Vous risquez d'attendre longtemps, Bill Mitchum.

– Une dernière question... Le baiser correspondait-il à votre attente?

Grisée par son regard bleu, elle fut incapable de mentir.

– Oui, murmura-t-elle. C'était encore mieux que je ne m'y attendais. C'est même pourquoi ça ne se reproduira plus jamais.

– Il ne faut jurer de rien, rétorqua-t-il en souriant. Quand vous serez prête, je vous en ferai découvrir bien davantage.

– L'espoir fait vivre, lâcha Cassandra d'un ton faussement enjoué tout en s'éloignant vers l'escalier d'un pas incertain.

– Bonne nuit, Cassandra.

Arrivée dans sa chambre, la malheureuse se laissa tomber sur l'épaisse couette et ferma les yeux. En acceptant l'hospitalité de Bill Mitchum, elle avait commis une erreur.

Dès le matin, à la première heure, elle partirait avec ses filles.

3

En s'éveillant le lendemain, elle découvrit Tara endormie à son côté. Sans doute avait-elle eu peur, au cœur de la nuit. La maison était silencieuse. Bree dormait-elle toujours? Après l'épuisant voyage de la veille, ce n'aurait rien d'étonnant. D'aéroport en aéroport, mère et filles avaient traversé le pays.

L'envie de café l'ayant emporté sur la paresse, Cassandra finit par s'asseoir. Elle se sentait extraordinairement reposée. Une nouvelle vie venait de commencer. Les problèmes de la veille ne lui paraissaient plus aussi insurmontables. Décidée à garder ses distances vis-à-vis de Bill, la jeune femme savait qu'il lui fallait trouver un logement provisoire, quel qu'il soit.

Après s'être étirée, elle se leva et passa sa robe de chambre, qu'elle avait sortie de sa valise, puis alla s'examiner devant la glace qui surmontait un antique bureau. Si son visage semblait reposé, ses cheveux étaient en désordre.

Elle admira la coupe de sa robe de chambre,

qu'elle avait elle-même créée pour un styliste de ses amis.

Jean-François avait toujours méprisé son goût pour le dessin de mode. A son arrivée à New York, la jeune femme rêvait de devenir styliste, mais force d'insistance, il l'avait convaincue de poser pour un photographe allemand du nom de Max. Lorsque son assistant avait voulu la coiffer, Jean-François avait poussé les hauts cris.

— Non, non! s'était-il exclamé. Laissez ses cheveux comme ils sont. Regarde ses yeux, Max. Tu en as déjà vus de cette couleur? Presque violets? Et ce regard innocent? C'est la pureté personnifiée! Ne touche pas à ses cheveux, ils lui donnent un air sauvage et mystérieux! Une vamp! Il faut jouer sur le contraste!

Cassandra s'était sentie rougir. Quelques jours plus tard, très enthousiaste, Jean-François lui avait montré les photos.

— Tu es incroyablement photogénique! Je vais faire de toi le plus célèbre mannequin de New York. Pour commencer, il faut que tu perdes cinq kilos. C'est indispensable si tu veux réussir.

En quelques semaines, faisant appel aux meilleures maquilleuses et aux plus célèbres coiffeurs, il l'avait façonnée à son gré. En se regardant dans un miroir, Cassandra avait peine à se reconnaître. Elle avait l'air à la fois sauvage, pure et provocante.

Son plan avait marché au-delà de leurs plus folles espérances. Six mois plus tard, Jean-François lui avait soudain demandé sa main.

51

Comment aurait-elle pu refuser? Il était son meilleur ami, ou plutôt son seul ami à New York.

Trois jours plus tard, ils s'étaient épousés sans la moindre pompe. Cassandra avait prévenu ses parents une fois le mariage consommé. Ils n'avaient pas caché leur déception, eux qui n'avaient jamais vu son époux et qui avaient toujours rêvé de la voir se marier en l'église de Peculiar. La jeune épouse n'avait pas osé leur dire qu'il avait vingt-cinq ans de plus qu'elle.

– Désolé que tes parents n'aient pas pu venir, chérie, s'était excusé Jean-François en lui offrant une rivière de diamants, mais nous n'avions vraiment pas le temps de les attendre. Notre programme est trop chargé.

A l'époque, elle ne connaissait rien de la vie. Les somptueux cadeaux dont il la couvrait lui semblaient être la preuve de la profondeur de son amour.

Cassandra réalisait à présent qu'elle avait fait fausse route. Ce n'était pas une femme que Jean-François voulait, mais une idole de porcelaine. Il était à peine tombé amoureux de son image sur papier glacé; la Cassandra de chair et d'os ne l'intéressait pas. Tara et Bree avaient été conçues par accident, lors d'une de ses rares visites nocturnes dans sa chambre. Aussi savait-elle qu'il ne risquait pas de se plaindre de la distance qui le séparait maintenant de ses filles. Il trouverait toujours un bon prétexte pour ne pas venir. Pourtant, la jeune femme voulait que les jumelles pensent que leur père les aimait.

Cassandra passa dans la chambre de Bree. Son lit était vide. Et si l'enfant était descendue regarder la télévision? songea-t-elle pour se rassurer en descendant l'escalier. La cuisine et le cabinet de toilette étaient déserts. La panique lui noua l'estomac. En robe de chambre, la mère sortit par la porte de derrière. Pieds nus dans l'herbe couverte de rosée, elle fit le tour de la maison en appelant sa fille.

Soudain, une idée lui traversa l'esprit. La portée de chatons! Peut-être avait-elle eu envie de jouer avec eux. Elle courut jusqu'à l'écurie et s'arrêta sur le seuil, haletante. Hormis les animaux, l'endroit était désert. Cassandra appela encore, mais n'obtint pas de réponse. Elle traversa l'écurie en flèche et en sortit par la porte opposée. En apercevant sa fille, elle éprouva un immense soulagement.

Au milieu de la prairie, l'enfant était juchée sur le poney, en robe de chambre. Bill tenait la bride et faisait décrire un grand cercle à l'animal.

— Bonjour, lança-t-il en apercevant Cassandra.

— Regarde, maman! s'écria Bree, folle de joie. Bill me fait faire un tour de poney!

Les battements du cœur de la jeune femme ralentirent peu à peu.

— Tu aurais quand même pu me demander la permission, avant de sortir, lui reprocha-t-elle d'un ton sévère. Tu m'as fait une peur bleue.

Le sourire de Bree s'évanouit Bill fit arrêter le poney. Il y eut un long silence.

— Bill a dit qu'il valait mieux ne pas te réveiller

parce que tu étais sûrement très fatiguée, se défendit la fillette.

— Je crois que ta maman aimerait que tu rentres, déclara Bill en soulevant Bree pour la déposer à terre.

Celle-ci, chose rarissime, ne protesta pas.

— Je peux regarder la télé en attendant le petit déjeuner ? demanda-t-elle d'un ton candide.

Dès que Cassandra eut opiné d'un hochement de tête, elle partit en courant vers la maison. En silence, Bill tira sur la corde pour faire venir le poney à lui.

— Que se passe-t-il ? demanda-t-il enfin d'une voix neutre.

Cassandra se sentit ridicule. Elle savait qu'elle était trop protectrice avec ses filles, mais ne parvenait pas à s'en empêcher.

— Je ne trouve ma fille nulle part à mon réveil, et vous me demandez ce qui se passe ? cingla-t-elle vexée.

— Il ne pouvait rien lui arriver.

— Comment aurais-je pu le savoir ?

Sans rien dire, Bill reconduisit l'animal dans son box, aménagé dans un coin de l'écurie. Après l'avoir dessellé, il referma la porte de la stalle et s'arrêta net en se retournant, stupéfait par le spectacle qui s'offrait à ses yeux. Cassandra était plantée sur le seuil de l'écurie. Les rayons obliques du soleil matinal, qui filtraient sous sa légère robe de chambre, dévoilaient le contour de ses jambes somptueuses. La pointe de ses seins saillait dans l'étoffe satinée. Sentant le désir monter en lui, il dut rassembler toutes ses forces pour se maîtriser.

54

– Parlons un peu de ce qui vous tracasse vraiment, dit-il avec un calme qui l'étonna lui-même.

– C'est-à-dire?

– Dès qu'il s'agit de vos filles, vous n'avez aucune confiance en moi.

Gênée par l'insistance de son regard, Cassandra se balança d'un pied sur l'autre.

– Comment le pourrais-je? Le Bill Mitchum que je connais était complètement irresponsable.

Sans la quitter du regard, il s'approcha d'elle et s'arrêta à quelques centimètres.

– Mieux vaut mettre les choses au point, madame Clair, dit-il d'une voix sourde. Je ne vais ni leur faire de mal ni les pervertir.

– Je n'ai jamais dit une chose pareille! protesta Cassandra, effrayée de la dureté de son regard.

– Non, mais vous l'avez pensé. Sinon, vous n'auriez pas couru jusqu'ici. Vous m'avez toujours fui, Cassandra, mais un de ces jours, vous viendrez à moi en courant. Et ce ne sera pas à cause de vos filles.

– J'espère que vous n'avez pas le culot de penser que...

– Vous êtes encore plus sensuelle quand vous vous énervez, glissa Bill en effleurant le col de sa chemise de nuit. C'est ravissant, tout ça. J'aimerais que vous la portiez quand vous vous déciderez à coucher avec moi.

Cassandra faillit le gifler.

– Vous rêvez!

– Les femmes sensuelles ont toujours honte de leur désir. Elles sont agressives avec moi. Mais au lit, ce sont les plus fougueuses, chuchota Bill en s'approchant encore.

— Je m'en vais, gronda Cassandra en serrant les poings. Je refuse d'entendre plus longtemps vos âneries

— Vous voulez que je vous prête mon poney? demanda-t-il d'un air amusé. Évidemment, vous risquez de passer la journée à charger vos bagages sur son dos.

Cassandra tourna les talons et partit vers la maison à grands pas. L'instant suivant, la main de Bill se refermait sur son poignet. Elle s'arrêta net, pétrifiée. Il la força à se retourner et l'attira contre lui.

— Vous n'irez nulle part.

Sans attendre sa réaction, il l'embrassa voracement, forçant aussitôt le barrage de ses lèvres. Cassandra voulut se débattre, mais la volupté l'emporta sur la colère. Elle sentit monter une sourde chaleur intérieure et s'abandonna à l'étreinte de Bill, dont le baiser perdit peu à peu sa violence pour gagner de la tendresse. Lorsque leurs bouches se séparèrent, ils se regardèrent en silence, comme si c'était la première fois.

— Je sais que vous finirez par coucher avec moi, murmura-t-il d'une voix rauque. Mais je suis prêt à tuer de mes mains le fumier qui toucherait à un cheveu de vos filles.

Cassandra poussa un soupir d'impuissance. Les rayons qui dansaient dans les cheveux de Bill rendaient sa beauté irrésistible.

— Je ne peux pas rester. Il faut que je parte immédiatement.

– Vous n'avez pas le choix, déclara-t-il en lui caressant la joue. Ici, ce n'est pas la place qui manque. En plus, vous êtes à deux pas de votre maison.

– Vous voulez que nous nous installions chez vous? lâcha-t-elle, incrédule, en reculant d'un pas. Vous avez l'air d'oublier mes filles. Et que diraient les gens?

– Pour s'occuper de vos filles, on engagera une gouvernante. De toute façon, vous allez avoir besoin de quelqu'un pour les garder pendant que vous organiserez les travaux de votre maison. Cette dame dormira ici. Je pense que ça suffira à éviter les ragots, non?

– C'est impossible, dit-elle en secouant la tête.

– Pas du tout, insista-t-il, de plus en plus décidé à la garder près de lui. Dans deux semaines, quand vos parents seront rentrés, vous irez vous installer chez eux en attendant la fin des travaux. Pourquoi vous forcer à effectuer tous les jours plusieurs fois l'aller et retour entre la ville voisine et votre maison, si vous pouvez rester tranquillement ici?

– C'est une idée absurde. Et puis, après ce qui s'est passé hier soir et... à l'instant, je...

– Vous n'êtes pas sûre de vous?

– Vous êtes très présomptueux.

– Présomptueux, non. Simplement confiant. D'ailleurs, je vous l'ai déjà dit : j'attendrai que vous veniez à moi. Qui sait, ça vous plaira peut-être de passer la nuit avec un sauvage, lui souffla-t-il au creux de l'oreille. J'en connais plus d'une que ça énerve...

– Vous êtes répugnant!

– Et vous, vous êtes une allumeuse.

– Ce n'est pas vrai! s'écria-t-elle, profondément indignée.

– Vraiment? Alors, pourquoi vous êtes-vous laissé faire, hier soir? Et pourquoi portez-vous cette chemise de nuit de vamp? Hein?

Cassandra, médusée, croisa les bras sur sa poitrine.

– A ma place, poursuivit Bill, n'importe quel homme digne de ce nom aurait réagi comme moi. Mais dès que je m'approche, vous partez en courant comme si j'avais la peste! Vous savez ce que je crois? Ce n'est pas moi qui vous préoccupe, mais les autres. Vous préféreriez mourir plutôt que de donner aux gens l'occasion de penser que vous couchez avec ce vaurien de Bill Mitchum.

Cassandra resta étrangement calme. Elle ne savait trop quoi dire, mais se sentait outragée. Bill venait de la mettre au pied du mur. On lui prouverait qu'il se trompait! Après tout ce qu'elle avait enduré avec Jean-François, cet homme ne lui faisait pas peur.

– D'accord. Je reste, dit-elle d'une voix calme, non sans remarquer l'éclair de surprise qui passa dans les yeux de Bill. Mais je me charge d'engager une gouvernante, et c'est moi qui la paierai. Si elle me donne satisfaction, je l'emmènerai à mon départ. Ce n'est pas tout : je vous verserai un loyer. Dès le retour de mes parents, nous nous en irons.

– Il n'est pas question que j'accepte votre argent, lâcha Bill en durcissant son regard.

58

— Dans ce cas, c'est moi qui paierai toutes les courses, répliqua-t-elle d'un ton ferme.

Il hésita, sembla vouloir protester, puis haussa les épaules.

— Quand sort le journal local? demanda-t-elle.

— Demain. Je connais les filles qui travaillent au service des petites annonces. Je vais essayer de voir avec elles s'il est encore temps de passer une offre d'emploi.

— Bonne idée. Le plus tôt sera le mieux. Pourquoi souriez-vous comme ça?

— Parce que vous êtes une hypocrite.

— Décidément, répliqua-t-elle d'un ton sarcastique, vous êtes parvenu ce matin à découvrir toutes mes plus belles qualités. Vous avez d'autres commentaires à ajouter sur ma personnalité?

— Je veux d'abord voir comment vous êtes au lit, dit Bill sans se départir de son sourire.

Cassandra jugea préférable d'en rester là, car la conversation était encore une fois en train de glisser sur la mauvaise pente. Elle fit demi-tour et partit vers la maison en se demandant comment elle avait pu accepter de rester. Elle allait être obligée de garder ses distances. Sans doute la gouvernante refroidirait-elle les ardeurs de son hôte. Malgré son absence de scrupules, une présence étrangère suffirait à le calmer. Le reste du temps, elle resterait près de ses filles.

Adossé au mur de l'écurie, Bill la regarda s'éloigner. Dans son peignoir de soie, son invitée était plus ravissante que jamais. S'il la désirait depuis des années, depuis qu'elle avait commencé à se métamorphoser en femme, elle avait malheureusement quitté la ville avant de lui laisser une chance de parvenir à ses fins. Mais cette fois, il était bien décidé à la séduire. Il se souvint qu'il devait se dépêcher d'aller passer son annonce et regagna son domicile d'un pas décidé.

Le lendemain, parcourant en compagnie de deux hommes d'une quarantaine d'années la maison qu'elle venait d'acheter Cassandra sentait son cœur battre en attendant leur verdict. Bart et Dirk Suthers étaient artisans charpentiers. Elle les avait contactés la veille, en dépit du regard réprobateur de Bill.

— Alors? demanda-t-elle lorsqu'ils eurent fait le tour complet de la villa. Qu'en pensez-vous? Vous croyez qu'on peut la restaurer?

— Ça dépend : répondit Dirk. Ça dépend de votre budget et du temps que vous comptez y mettre. On travaille sur un autre chantier, mais il est presque fini. Si on démarre ici dans quelques jours, la maison sera prête dans trois mois.

— Trois mois! glapit Cassandra. Mais c'est pratiquement le temps qu'il faut pour construire une maison neuve!

— On va pratiquement être obligés de tout refaire, intervint Bart. Croyez-moi, c'est beaucoup plus dur que de partir de zéro.

Cassandra poussa un soupir découragé. Trois mois! Il lui faudrait passer tout ce temps chez ses parents. Et ses projets professionnels? Il n'était pas question de remettre ses plans en question.

– C'est beaucoup trop, déclara-t-elle. Je vous donne un mois pour rendre le rez-de-chaussée habitable. Il y aura une prime pour vous si vous y arrivez, ajouta-t-elle sans paraître noter l'expression stupéfaite des deux charpentiers. Vous pouvez bien travailler le week-end pendant deux ou trois semaines, non?

– Vous avez l'intention d'habiter ici pendant qu'on refera l'étage? demanda Dirk, incrédule. Ça risque d'être un tantinet bruyant, vous ne croyez pas?

– J'ai deux jumelles de six ans : le bruit, j'y suis habituée. En plus, ça me permettra de suivre de près la progression des travaux. Quand pouvez-vous me remettre le devis? Avant de me décider, j'aimerais consulter une ou deux autres entreprises.

A la mention d'une éventuelle concurrence, Bart se gratta le cuir chevelu.

– Il faudra que je revienne avec ma calculatrice, répondit-il. Il va falloir changer toute la plomberie ou presque, refaire les planchers et embaucher un couvreur. A mon avis, mieux vaut poser une toiture neuve. Et puis, il va falloir que j'étudie l'isolation, et...

– Combien de temps cela prendra-t-il?

– Quelques jours.

– Parfait. Voici le numéro de téléphone où vous pourrez me joindre. Appelez-moi dès que le devis sera prêt.

Ils sortirent de la maison, et Cassandra se rendit dans le jardin pour rappeler ses filles, occupées à jouer sur la balançoire que Bill avait réparée dans la matinée. Ensuite, ils s'entassèrent dans la Jeep, où celui-ci les attendait tranquillement, son chapeau légèrement incliné sur le côté. Pour laisser Cassandra négocier seule, il s'était volontairement tenu à l'écart de la discussion, même si l'idée qu'elle puisse embaucher les frères Suthers pour effectuer les travaux ne lui paraissait pas excellente. Puisqu'elle n'avait que faire de ses conseils, il avait décidé de ne pas insister.

– Alors? s'enquit-il quand elle eut pris place à son côté à l'avant de la Jeep. Quel est leur diagnostic?

– J'aurai leur devis dans quelques jours. En attendant, j'ai envie d'en faire dresser un autre.

Bill hocha la tête, puis démarra en silence. Lorsqu'il s'arrêta devant la ferme, quelques minutes plus tard, Duke vint les accueillir en jappant. Aussitôt, les jumelles sautèrent à bas du véhicule et coururent vers l'écurie.

– Restez dans la voiture, Cassandra, dit Bill.

– Pourquoi? demanda-t-elle surprise.

– Vous avez votre permis de conduire?

– Bien sûr. Depuis que j'ai perdu ma carte d'identité, je m'en sers pour...

– Je vais vous apprendre à conduire cette Jeep.

La jeune femme éclata de rire.

– Vous êtes fou! Vous savez depuis combien de temps je n'ai pas pris le volant? A New York, je ne me déplaçais qu'en bus, jusqu'à...

– Jusqu'à ce que vous puissiez vous payer une limousine avec chauffeur, compléta Bill. Seulement voilà, vous n'êtes plus à New York, et il va bien falloir que vous vous déplaciez. Quand vous aurez réappris à conduire, je vous emmènerai à la ville voisine, et vous pourrez vous y acheter une voiture.

— Je ne suis pas sûre que ce soit très prudent, protesta Cassandra avec un sourire penaud.

Sans paraître l'entendre, Bill sauta à bas de la Jeep pour lui laisser le volant, en fit le tour et revint s'installer côté passager. Une fois assis, il poussa un profond soupir, comme s'il n'était pas très rassuré lui non plus.

— Pour commencer, dit-il, voyons ce que vous vous rappelez. Vous savez où sont le frein et l'accélérateur ?

Elle les désigna l'un après l'autre.

— Parfait. et maintenant, vous voyez cette troisième pédale sur la gauche ? Ça s'appelle l'embrayage.

— Vous voulez que je prenne des notes ?

— L'embrayage sert à changer de vitesse, poursuivit Bill en l'ignorant. Sur cette voiture, il y a quatre vitesses.

Cassandra écouta patiemment son exposé sur l'utilisation spécifique de chaque vitesse, mais sa chaude présence à ses côtés l'empêcher de se concentrer. Grisée par sa mâle odeur, elle finit par perdre le fil. Lorsqu'il eut achevé, elle n'avait pas la moindre idée de la position de la troisième vitesse.

— Bon, vous êtes prête ? demanda Bill en essuyant d'un revers de main la sueur qui perlait à son front.

Il faisait une chaleur torride. Sa chemise était moite de transpiration.

— Vous n'avez quand même pas l'intention de me faire conduire cet engin?

— Pourquoi diable croyez-vous que je viens de me tuer à vous donner toutes ces explications en plein départ?

— Mettre le moteur en route.

— Faux. On débraye.

— Mais il faut bien que je démarre avant de passer une vitesse! protesta Cassandra, irritée par la violente chaleur.

— D'accord, allez-y.

Cassandra démarra. La Jeep fit un bond en avant et cala. Bras croisés sur le torse, Bill commença à siffloter en feignant de regarder du côté de la maison. Agacée, la novice appuya rageusement sur l'embrayage et démarra encore. Cette fois, le moteur se mit à rugir.

— Et maintenant?

— Il faut passer en marche arrière, conseilla Bill.

Après s'être débattue un bon moment avec le levier de vitesse, la conductrice en herbe parvint à l'enclencher. Aussitôt, la Jeep se rua en marche arrière sur l'allée, traversa la route et manqua se jeter dans un étang.

— Freinez! hurla Bill. Freinez donc!

Elle s'exécuta si promptement que la nuque de Bill percuta l'appuie-tête.

— Bon sang, vous voulez nous tuer ou quoi? s'écria-t-il.

– C'est vous qui m'avez dit de freiner!

– Je ne m'attendais pas à ce que vous sautiez à pieds joints sur la pédale!

Pendant la demi-heure qui suivit, Cassandra s'entraîna à changer de vitesse jusqu'à ce que Bill la juge apte à faire une nouvelle tentative. Elle avait à peine parcouru deux cents mètre qu'il lui ordonna de faire demi-tour et de revenir vers la ferme. Elle gara la Jeep dans un pesant silence, descendit, claqua la portière et partit vers la maison.

– Demain, on commencera plus tôt, lui lança Bill. Il fait vraiment trop chaud.

Son regard s'attarda sur les courbes appétissantes de Cassandra tandis qu'elle s'éloignait sans répondre. Quand elle eut disparu, il sortit à son tour de la Jeep et se rendit dans la petite pièce située à l'arrière de la ferme qui lui tenait lieu de bureau. Il mit le répondeur en route. Parmi les messages qui lui étaient destinés, il y en avait un pour Cassandra. Il nota le numéro de téléphone sur un bout de papier et quitta la pièce. Il retrouva la jeune femme dans la cuisine, où elle sirotait une tasse de thé glacé.

– Une dame du *Courrier* a laissé un message pour vous, annonça-t-il.

– Le journal? demanda-t-elle d'un air surpris. Que me veut-elle?

– Elle souhaite vous interviewer. Ce n'est pas tous les jours qu'une célèbre top-model revient à Peculiar.

– Je me demande comment ils ont réussi à

savoir si vite que j'étais revenue, commenta-t-elle d'un air pensif.

En raison de sa présence provisoire chez Bill Mitchum, Cassandra se serait fort bien passée de cette interview. Dès que les lecteurs auraient appris où elle se trouvait, les ragots iraient bon train. D'un autre côté, si elle refusait de répondre aux questions de la journaliste, cela laisserait à supposer qu'elle avait quelque chose à cacher.

— Je ne sais que faire, soupira-t-elle.

— En tout cas, ne me demandez pas mon avis, marmonna Bill. Jusqu'à maintenant vous balayez tous mes conseils.

Cassandra aurait voulu ignorer sa remarque, mais force lui était d'admettre qu'elle contenait une bonne part de vérité. Elle ne parvenait pas à chasser de son esprit l'image du Bill Mitchum de son adolescence, bagarreur, casse-cou et coureur de jupons. Comment un tel vaurien pouvait-il avoir acquis le sens commun?

— Comme je vous l'ai déjà dit, Bill, vous avez peut-être changé, mais il faut que vous me laissiez le temps de m'y habituer.

Ses propos résonnèrent à l'oreille de Bill comme dans un rêve. Depuis un moment, il était absorbé par la contemplation fascinée de la jeune femme. Il remarqua que ses longues boucles claires comprenaient une infinie variété de nuances, du brun au blond doré. Ses grands yeux étaient sombres, plus violets que bleus. Ses lèvres pleines évoquaient la couleur et la douceur d'une pêche mûre. Pris d'une soudaine envie de l'embrasser, il lutta pour se dominer.

— Me faites-vous confiance, Cassandra?

— Je crois, oui. pourquoi?

— Mais pas entièrement, n'est-ce pas?

— Il m'est arrivé une fois de faire entièrement confiance à un homme, répondit-elle sans détourner le regard. Il a failli me détruire. Je ne laisserai jamais à personne d'autre la chance d'obtenir un tel pouvoir sur moi.

En percevant l'amertume qui étreignait sa voix, Bill eut envie de la serrer contre lui pour la rassurer.

— Les hommes ne sont pas tous pareils, Cassandra, murmura-t-il sans esquisser un geste.

— Je préfère ne courir aucun risque.

Il secoua la tête d'un air sombre.

— Ce fumier vous en a vraiment fait voir de toutes les couleurs, pas vrai?

4

DEUX jours plus tard, attendant la journaliste qui n'allait pas tarder à sonner, Cassandra arpentait le salon, elle-même étonnée de sa nervosité. Elle avait accordé des interviews à *Vogue* et *Cosmopolitan*, pour ne citer que les plus célèbres. Pourquoi redoutait-elle un article paru dans le journal de sa ville natale? Justement parce qu'elle avait grandi là, parce qu'elle y connaissait tout le monde. Ses anciens amis avaient eux aussi des enfants. Pour Cassandra, il était vital qu'ils aient une bonne opinion d'elle, surtout à cause de ses filles. Plus que tout au monde, elle craignait que Tara et Bree ne soient rejetées par la petite communauté de Peculiar parce que leur mère, après être partie faire carrière à New York, avait divorcé avec éclat.

— Combien de temps il va encore falloir rester assises à attendre, maman? s'impatienta Bree.

— La journaliste devrait être ici d'une minute à l'autre.

Les deux fillettes étaient toutes deux vêtues pour l'occasion d'une salopette rose. Leurs cheveux blonds, aussi rebelles que ceux de leur mère, étaient pris dans un ruban du même ton. Pour ne pas leur voler la vedette, Cassandra portait un discret ensemble de coton bleu et une paire de sandales. Ses cheveux, rassemblés en queue de cheval, commençaient déjà à se libérer.

Lorsque la sonnette retentit, le cœur de Cassandra fit un bond. Dès qu'elle eut ouvert la porte, le sourire qu'elle avait eu tant de peine à composer s'évanouit de ses lèvres. Elle venait de reconnaître Jenny Bowers, spécialiste des potins et commérages en tous genres. Un frisson d'inquiétude la parcourut mais elle n'en laissa rien paraître.

— Entrez donc, mademoiselle Bowers, l'invitat-elle en ouvrant la porte. Quel plaisir de vous revoir après toutes ces années!

Elles échangèrent une vague poignée de main. Des deux femmes, il aurait été difficile à l'observateur de décider laquelle avait le sourire le moins sincère.

— Merci d'avoir accepté cette interview, dit Jenny avant de lui présenter le photographe, un petit homme bedonnant entre deux âges.

Ils entrèrent tous trois dans la maison.

— Comme elles sont mignonnes! s'exclama Jenny en découvrant les jumelles qui se trémoussaient sur le canapé.

— Merci, fit Cassandra en indiquant un siège. Voulez-vous vous asseoir?

Elle prit place entre ses filles, tandis que le photographe restait debout pour régler son appareil.

— Si vous voulez boire quelque chose, proposa Cassandra, j'ai du café et de la limonade.

Ils déclinèrent son offre. En vérité, Cassandra n'avait jamais porté Jenny Bowers dans son cœur. Dans sa jeunesse, Jenny était de celles qui se maquillent trop. En fréquentant avec insistance des garçons comme Bill Mitchum, elle avait acquis une réputation de fille facile. Bien sûr, c'était le passé. Mais Cassandra trouvait curieux que le *Courrier* ait choisi de lui envoyer Jenny Bowers, alors que les plus grands magazines du pays avaient toujours confié les interviews à leurs meilleurs journalistes.

— Eh bien, commença Jenny, quelle impression cela vous fait-il d'être de retour à Peculiar après les années dorées que vous avez passées à New York?

Cassandra s'attendait à cette question. Elle adressa à la journaliste un sourire radieux.

— C'est formidable, dit-elle. Quant à ma vie à New York, elle n'était pas toujours aussi excitante qu'on pourrait se l'imaginer. Tous ceux qui connaissent de près le métier de mannequin le savent. J'ai travaillé dur.

— Tiens, fit Jenny en tapotant son bloc-notes de la pointe de son crayon. Pourtant, ça paraît facile de rester là à ne rien faire d'autre que se laisser photographier.

Cassandra décida d'ignorer sa remarque. Si Jenny cherchait à la provoquer, elle en serait pour ses frais. Comme si elle lisait dans ses pensées, la journaliste changea de tactique et lui décocha un sourire mielleux.

— Pourriez-vous me dire ce qui vous a poussée

à partir à New York pour vous lancer dans la carrière de mannequin?

Bree étouffa un bâillement.

— A mon départ, je n'avais nullement l'intention de devenir mannequin. Après le lycée, j'ai étudié le dessin de mode pendant deux ans. Ce que je voulais, c'était devenir styliste.

L'éclair du flash électronique baigna soudain la pièce d'une clarté métallique.

— En cours de route, ajouta-t-elle avec un petit rire, j'ai atterri de l'autre côté de l'objectif.

Revenu devant Cassandra, le photographe prit un nouveau cliché, puis un autre encore.

— Ça a dû être dur, observa Jenny d'un ton sarcastique. Et maintenant? Quels sont vos projets?

— Je vais faire rénover la vieille villa des Kelsey. Pour le moment, j'attends le retour de mes parents. Ils sont partis camper en Floride.

— Et entre-temps, vous séjournez chez notre maire, lâcha la journaliste d'un ton incisif. Vous ne croyez pas que ce détail risque de compromettre ses chances de réélection?

Cassandra pâlit.

— Je vous demande pardon?

Fort heureusement, occupée à gribouiller quelque chose sur son bloc-notes, Jenny ne s'aperçut pas de son désarroi.

— Ne croyez-vous pas que les rumeurs qui courent la ville à votre sujet puissent lui nuire, au cas où il déciderait de se présenter pour un second mandat?

Cassandra s'apprêtait à improviser une réponse quand la porte de derrière s'ouvrit en grand.

– Bon sang, il fait une chaleur d'étuve, dehors!
lança Bill avant même d'entrer.

En apercevant Jenny et le photographe, il
s'arrêta net sur le seuil. Pieds et torse nus, il était
luisant de sueur. Son jean délavé épousait comme
un gant les muscles de ses jambes. Il portait au
front un bandeau rouge. Cassandra était au
comble de la gêne. Jenny émit un petit cri de surprise.

– On dirait que j'arrive au mauvais moment,
fit-il sur un ton d'excuse.

Les jumelles sautèrent à bas du canapé et coururent à lui en poussant des cris de joie.

– Tu as fini ton travail? demanda Bree, tout
excitée.

– Tu nous emmènes faire un tour avec Pompon? suggéra timidement Tara.

– Quel touchant tableau, remarqua Jenny.
Vous ressemblez vraiment à une petite famille.

– Monsieur le maire s'est montré très hospitalier, articula Cassandra en pesant chacune de ses
paroles. En outre, il est d'une grande gentillesse
avec mes filles.

Elle se tourna vers Bill et lui sourit.

– Je sais qu'il sera soulagé de nous voir partir,
ajouta-t-elle. Nous l'avons assez dérangé.

Malgré son calme apparent, elle bouillonnait
intérieurement. Pourquoi lui avait-il caché qu'il
était maire de Peculiar? Elle lui jeta un regard
glacé, puis se retourna vers Jenny, qui semblait
troublée.

– Monsieur le maire..., fit celle-ci en s'adressant à Bill. J'étais en train d'expliquer à Mme Clair que certaines rumeurs courent en ville sur sa présence sous votre toit.

— J'ai proposé à Mme Clair et à ses filles de s'installer au premier étage en attendant le retour de leur famille, répondit tranquillement Bill en haussant les épaules. Un point c'est tout.

— Je comprends bien, insista Jenny avec un sourire chargé de fiel, mais vous connaissez nos concitoyens, surtout ceux de la vieille génération. Ils pourraient trouver la situation peu convenable. Certains n'hésitent pas à dire qu'elle pourrait compromettre vos chances de réélection.

— Mademoiselle Bowers, répliqua Bill sans rien laisser paraître de l'irritation qui montait en lui, si le fait que je donne l'hospitalité à une femme et ses deux enfants déplaît à nos concitoyens, je crois qu'ils devraient se demander si, par pure charité, ils ne devraient pas faire de même. Et je crois les connaître assez pour savoir la réponse.

Songeur, il marqua une brève pause.

— Vous devriez y réfléchir, reprit-il. Il me semble qu'il y a dans la Bible quelque chose sur la porte qu'on doit laisser ouverte aux voyageurs, mais je ne m'en souviens pas par cœur. Vous pourriez peut-être demander à l'un de nos pieux concitoyens de retrouver ce passage.

Estomaquée, Jenny fut incapable de répondre.

— Et maintenant, mademoiselle Bowers, permettez-moi de vous reconduire jusqu'à la porte, poursuivit Bill d'un ton qui ne souffrait pas de réplique. Vous aussi, monsieur le photographe.

Le petit homme, qui n'avait pipé mot depuis son entrée, suivit Jenny vers la porte, après que celle-ci eut bredouillé à Cassandra quelques mots de remerciement chargés d'amertume. Lorsqu'ils furent sortis, Bill saisit le bras de la journaliste avant qu'elle monte dans sa voiture. Surprise, elle leva les yeux sur lui.

— Mettons les choses au clair, mademoiselle Bowers, fit-il d'un ton glacial. Si vous publiez un seul mot malveillant au sujet de Mme Clair, je veillerai personnellement à ce que vous n'écriviez plus jamais dans le *Courrier*.

— Comment? lâcha Jenny, prise au dépourvu. Je ne vous savais pas aussi protecteur. A ce qu'il me semble, vous ne traitez pas toutes vos... invitées avec la même prévenance.

— Je sais être courtois avec ceux qui le méritent. C'est le cas de Mme Clair.

— Vraiment? cingla Jenny, furieuse. Et toutes ces photos où elle a posé quasiment nue? Qu'est-ce que vous en faites?

— Vous savez pourquoi elle le mérite? gronda Bill sans relever la remarque de la journaliste. Parce qu'elle, au moins, n'a jamais accepté de venir s'allonger à l'arrière de ma voiture. Ce qui n'est pas votre cas , si mes souvenirs sont exacts. A vrai dire, vous avez même fréquenté plusieurs fois la banquette de ma Ford. Et ce dans des positions peu convenables.

Jenny rougit comme un pivoine.

— Votre chronique n'est qu'un amas de ragots, conclut-il. Je vais faire le nécessaire pour qu'elle soit supprimée.

— C'est du chantage! s'écria la journaliste, au comble de l'indignation, en s'installant dans la voiture.

— Et comment! répliqua Bill.

Il lui claqua la portière au nez et rentra à la maison.

Il trouva Cassandra assise sur le canapé, exactement dans la position où il l'avait laissée pour raccompagner Jenny. Les filles étaient montées se changer. Émerveillé par sa beauté, Bill s'arrêta sur le pas de la porte pour la contempler.

— Vous m'avez menti, lâcha-t-elle d'un air lugubre.

Point n'était besoin de demander des éclaircissements pour savoir qu'elle faisait allusion à sa vie politique.

— Je n'ai pas menti, répondit-il en entrant. Simplement, je n'avais pas envie d'en faire tout un plat. D'ailleurs, dans une ville comme Peculiar, ce n'est pas grand-chose. Je n'ai même pas de bureau. Je travaille dans une petite pièce derrière la cuisine.

— C'est donc pour ça qu'elle est toujours fermée à clé..., soupira Cassandra. Je ne peux pas rester, Bill.

— Ça ne va pas recommencer, j'espère? Je vous rappelle que vous recevrez demain la visite de deux personnes intéressées par ce poste de gouvernante.

— Et si Jenny décide de faire du scandale?

— Aucun risque.

— Comment le savez-vous?

Il vint s'asseoir auprès d'elle et lui prit la main.

— Faites-moi confiance, Cassandra.

Leurs regards se rencontrèrent. le bandeau rouge de Bill lui donnait un air sauvage qui troublait profondément les sens de la jeune femme. D'un doigt, il lui souleva le menton, puis déposa sur ses lèvres deux baisers légers comme des plumes. Elle n'eut aucune réaction. Il s'écarta.

— Je ne voudrais pas vous salir, dit-il sans cesser de fixer les grands yeux mauves de Cassandra. Je ne dois pas sentir très bon.

— Si, dit-elle avec candeur.

Une lueur sombre passa dans le regard de Bill.

— Vous jouez un jeu dangereux, madame Clair.

La bruyante irruption des jumelles mit un terme au dialogue.

— On va faire un tour sur Pompon? demanda Bree en sautillant sur place.

— D'accord, opina Bill en adressant à Cassandra un regard chargé de regrets. Vous aurez droit à deux tours chacune. Ensuite, il faudra que vous me laissiez rentrer pour prendre une douche. Marché conclu?

Les fillettes hochèrent la tête à l'unisson et partirent en courant vers la porte de derrière.

— Qu'allez-vous faire? demanda-t-il à Cassandra.

— D'abord, me changer. J'ai envie de me sentir à l'aise. Ensuite, je vais appeler les frères Suthers pour prendre rendez-vous demain, déclara la jeune femme d'un ton léger, luttant contre l'envie de se jeter au cou de son compagnon pour le supplier de l'embrasser.

De crainte qu'il ne lise dans ses pensées, elle baissa les yeux.

— Je ferais mieux de filer tout de suite à l'écurie, fit Bill. Sinon, elles seraient bien capables d'essayer de monter Pompon toutes seules.

Il se leva et partit. Lorsqu'il eut disparu, Cassandra commença à se détendre. Elle n'était pas dupe. Quoi que Bill prétende, il était évident qu'après toutes ces années où il avait été traité comme un marginal, son mandat de maire devait représenter pour lui quelques chose d'important. Au fond de son cœur, il s'enorgueillissait certainement d'avoir gagné la confiance de ses concitoyens au point d'être élu. La jeune femme ne voulait donc pas mettre en danger sa carrière politique.

Sans l'ombre d'une hésitation, elle monta à l'étage, se changea, puis se mit à préparer fébrilement ses valises. Ses mains tremblaient. Lorsque tout fut prêt, elle entreprit de les descendre une à une. Si Bill refusait de les conduire jusqu'à la ville voisine, elle demanderait une voiture au commissariat.

— Bon sang, mais qu'est-ce que vous faites?

La voix de Bill qui s'élevait dans son dos tandis qu'elle déposait la dernière valise devant la porte d'entrée la fit sursauter. En se retournant, elle croisa son regard assombri par la colère.

— Nous devons partir, Bill. Je refuse de compromettre votre carrière politique. Et puis, je dois penser à mes filles. Où sont-elles?

— A l'écurie. Elles jouent avec les chatons,

répondit-il d'une voix cassante. Apparemment, elles se sentent mieux ici que leur mère. Mais bien sûr, elles sont trop jeunes pour se préoccuper des ragots, ajouta-t-il en croisant les bras. Vous me décevez, Cassandra.

– Ne commencez pas. Vous savez très bien que j'ai raison.

– Vraiment? Vous dites que vous pensez à vos filles... Qu'est-ce que vous allez en faire? Les laisser toute la journée enfermées dans une chambre d'hôtel? Elles sont ravies d'être ici. Après tout ce qu'elles ont enduré, j'ai l'impression qu'elles avaient bien besoin de s'amuser un peu au grand air.

Une gifle n'aurait pas eu plus d'effet sur Cassandra.

– J'ai toujours manœuvré pour éviter qu'elles souffrent de la situation!

– Si vous partez, quel est l'intérêt d'engager une gouvernante? Vous vous sentiriez peut-être mieux si j'engageais un garde du corps. Il pourrait vous protéger contre la sauvagerie de mes instincts de Peau-Rouge.

– Ça n'est pas drôle.

– Ça non plus, rétorqua Bill en désignant les bagages. Vos parents rentrent dans huit jours.

– Il peut se passer un tas de choses en huit jours, Bill.

En apercevant l'éclair de surprise qui passa dans les yeux de son hôte, Cassandra regretta aussitôt ses paroles.

– Par exemple?

– Je ne devrais pas avoir besoin de vous faire un dessin, expliqua-t-elle en luttant pour ne pas baisser les yeux. Nous sommes attirés l'un par l'autre.

Bill s'approcha, un sourire au coin des lèvres.

– C'est donc votre propre désir qui vous fait peur.

– Arrêtez!

– Franchement, Cassandra, reprit-il en s'arrêtant à quelques millimètres d'elle, j'aurais cru que vous maîtrisiez mieux vos pulsions. Serais-je si tentant?

La jeune femme s'empourpra.

– Vous prenez vos désirs pour des réalités!

– Dans ce cas, quel est le problème? Il vous suffit de résister à l'envie d'entrer dans ma chambre pour...

– Vous êtes odieux, coupa-t-elle, mâchoires serrées.

– Peut-être, mais ça ne m'empêche pas de vous plaire, souffla-t-il. Sinon, vous ne seriez pas obligée de fuir.

La mâle senteur qui émanait de lui commençait à brouiller les idées de Cassandra. Elle serra les poings.

– Je n'ai pas besoin de fuir les hommes comme vous, Bill. L'ex-petit ami de Jenny Bowers et de la moitié des femmes de la ville ne m'intéresse pas.

– On dirait que vous êtes jalouse, madame Clair, remarqua-t-il en lui effleurant la joue. Rassurez-vous, vous êtes largement au-dessus du lot.

Elle leva la main pour le gifler, mais il lui attrapa le poignet.

– Comme osez-vous me comparer aux filles faciles qui vous suivaient dans votre voiture?

Il la relâcha si brusquement qu'elle faillit perdre l'équilibre et dut s'accrocher à la rampe de l'escalier.

– Vous avez raison, déclara-t-il d'un air écœuré. Mieux vaut prendre la fuite. Vous n'avez pas changé d'un pouce, Cassandra Kennard. Je sais maintenant ce que vous êtes vraiment : une petite snob. Ce n'est ni ma carrière ni vos filles qui vous préoccupent. C'est vous, uniquement vous. L'idée que les autres puissent penser que vous couchez avec un sang-mêlé vous terrifie!

– C'est faux!

– Je vais prendre une douche, poursuivit Bill d'un ton indifférent. Agissez comme bon vous semble. Si vous voulez que je vous conduise à la ville voisine, vous n'aurez qu'à me le dire. Si vous changez d'avis, vous remonterez vos bagages toute seule. je ne vais pas perdre mon temps à effectuer des allers et retours dans l'escalier comme un groom d'hôtel. Vous n'êtes plus à New York, princesse.

Sur ces belles paroles, il la planta là et partit dans sa chambre. Cassandra resta sans voix. Elle se sentait ridicule. Après un long moment, elle ramassa une première valise et, les larmes aux yeux, se dirigea vers l'escalier. Bill se trompait à son sujet. Si elle le fuyait, c'était uniquement par crainte des souffrances qui ne manqueraient pas de la torturer si elle s'attachait trop à lui. Au fond de son cœur, la blessure laissée par son premier mariage était encore à vif, mais elle préférait mourir plutôt que de le lui avouer. Si Bill découvrait son point faible, il pourrait la manipuler à loisir.

Quand il ressortit de sa chambre une demi-heure plus tard, Bill constata que les bagages avaient disparu de l'entrée. En entendant Cassandra marcher dans la cuisine, il esquissa un sourire. Le soulagement qu'il éprouva le surprit lui-même.

Le lendemain, Cassandra passa une bonne partie de la matinée à recevoir deux candidates au poste de gouvernante. La seconde, qui s'appelait Mavis, lui plut sur-le-champ, et elle décida de l'engager. C'était une femme d'un certain âge, longue et maigre, dont le chaud sourire contrastait avec son allure austère.

— Il faudra que vous logiez ici, expliqua Cassandra. Ce n'est pas un problème?

— Au contraire. Mon mari est mort il y a deux ans, et je n'ai plus de maison à moi.

Quand elle présenta les jumelles à Mavis, ce fut le coup de foudre.

— Elles sont ravissantes!

— Merci, répondit fièrement Cassandra.

— Elles veulent devenir mannequins, comme maman?

— J'espère bien que non, dit la jeune femme en fronçant les sourcils. Quand pouvez-vous commencer? J'occupe simplement le premier étage de M. Mitchum en attendant le retour de mes parents. Vous pourrez vous installer dans la chambre voisine de la mienne, qui est inoccupée.

– J'ai lu dans le journal que vous aviez racheté la villa des Kelsey.

– C'est exact. Je compte y emménager dès qu'elle sera habitable. Entre-temps, je suis sûre que mes parents pourront nous accueillir. Une fois installée, j'aurai toujours besoin de vous, autant pour tenir la maison que pour mes filles.

– Aucun problème. J'ai cinq enfants et huit petits-enfants. Les gosses, ça me connaît. Si ça vous convient, je peux commencer dès demain. J'habite en ce moment chez mon fils aîné et sa femme. Ils seront sûrement contents de retrouver leur intimité.

– Parfait. Je vais préparer votre chambre.

– Pas question, répondit Mavis en fronçant les sourcils. C'est moi qui suis payée pour travailler. Je m'en charge.

Quand elle fut partie, Cassandra réalisa qu'elle était en retard pour son rendez-vous avec les frères Suthers et courut à l'écurie retrouver Bill.

– Pardonnez-moi de venir vous déranger, lui dit-elle d'un ton hésitant, mais j'ai un service à vous demander. Pourriez-vous me conduire à la villa? Les Suthers doivent déjà m'attendre.

Si depuis la veille, elle avait tout fait pour l'éviter, elle n'avait maintenant pas le choix.

– Il faut absolument que j'achète une voiture, soupira-t-elle J'aimerais aussi que vous m'accompagniez en ville pour en trouver une. Comme ça, je ne vous dérangerai plus chaque fois que j'ai besoin de me déplacer.

– Je vous donne l'impression que vous me dérangez?

82

Cassandra secoua la tête.

– Dans ce cas, cessez de vous répandre en excuses, nom d'une pipe! Allez donc prendre les clés dans ma chambre et récupérer vos filles. Je vous rejoins à la voiture.

De retour à la maison, Cassandra ouvrit d'une main hésitante la porte de la chambre de Bill. Sur le seuil, elle s'arrêta un instant. Jamais elle n'avait pénétré dans cette chambre, ni dans le bureau contigu à la cuisine. Le lieu était meublé d'un grand lit en bois massif, d'une commode rustique et d'un bureau. Le lit était couvert d'une épaisse couette à rayures bleues et rouges. Les murs étaient nus. La pièce était imprégnée de l'odeur de Bill. Troublée, Cassandra se plut à l'imaginer nu sous les draps, et son cœur se mit à battre la chamade. D'une main tremblante, elle prit les clés posées sur le bureau et sortit précipitamment de la chambre. Dans le couloir, elle manqua percuter son hôte.

– Hé! lâcha-t-il, surpris. Il y a le feu quelque part?

Le sang monta aux joues de la jeune femme.

– C'est que... je suis très pressée.

– Je vois que vous avez trouvé les clés. Vous tremblez?

– Pardon? Oh...! Je suis un peu nerveuse, c'est vrai. J'ai horreur d'être en retard.

– Vous me rassurez, ricana Bill avec un regard entendu. J'ai cru un moment que le seul fait d'entrer dans ma chambre vous avait mise mal à l'aise.

– Rassurez-vous, répliqua-t-elle, piquée.

– Parfait. En tout cas, vous connaissez maintenant le chemin. Au cas où vous auriez besoin de moi au milieu de la nuit...

– Ça m'étonnerait. J'ai toujours su me débrouiller seule.

– Vraiment? lâcha Bill en lui décochant un regard chargé d'allusions.

Cassandra rougit comme une pivoine. Prise de court, elle se détourna et partit vers l'entrée. Bill lui emboîta le pas.

5

À la villa, Bart et Dirk Suthers les attendaient dans leur camion. Pendant que Bill se garait à l'ombre d'un chêne gigantesque, ils sortirent attendre Cassandra devant l'entrée.

— Désolée d'être en retard, lança-t-elle en s'approchant, tandis que Bill partait jouer avec les jumelles dans le jardin.

Malgré la chaleur accablante, l'intérieur de la maison était frais. Suivie des deux hommes, la propriétaire se dirigea vers la cuisine.

Se retournant vers eux, Cassandra s'aperçut qu'ils avaient tous deux les yeux fixés sur ses longues jambes et leur jeta un regard noir.

— Vous avez les chiffres? demanda-t-elle sans douceur.

Embarrassé, Bart se racla la gorge et déposa plusieurs feuilles de papier sur le bord de l'évier.

— Eh bien... Voilà, madame Clair. Bien sûr, ce n'est qu'une prévision. Avec ces vieilles bicoques, on a toujours des surprises. Le total est là, en bas.

En découvrant les chiffres, Cassandra tiqua.

— C'est une petite fortune! s'exclama-t-elle, tout

en se réjouissant intérieurement de constater que le prix des Suthers était inférieur à celui qu'un de leurs concurrents lui avait communiqué le matin même par téléphone.

— Je sais, madame, admit Bart, mais tout est compris, la toiture, la plomberie, l'électricité et le reste.

Comme Cassandra le regardait sans rien dire; il continua.

— Il va falloir poncer les parquets, les vernir, retaper les plafonds, tout repeindre. Quant à la cuisine et aux salles de bains...

— Je sais, l'interrompit Cassandra. Et si vous engagez des auxiliaires, les travaux seront finis plus vite?

— Ça vous coûtera plus cher, répondit Bart en hésitant.

— Engagez tous les hommes dont vous aurez besoin. Je tiens à ce que cette maison soit prête dans les plus brefs délais. Je paierai double pour les heures supplémentaires et le week-end.

Dirk et Bart échangèrent des regards perplexes.

— Ça ne veut pas dire que vous pouvez bâcler le travail, ajouta-t-elle. Il faut que ce soit impeccable. D'ailleurs, j'ai l'intention de suivre les travaux de près. Vous risquez de me voir souvent.

Après un interminable silence, Bart se décida à prendre la parole :

— D'accord. Laissez-nous vingt-quatre heures pour embaucher des journaliers. On commencera les travaux après-demain, dit-il en remontant son pantalon. Comme je le disais, le prix est une estimation. Si vous voulez du luxe, ça...

– Je comprends.

– Je vous ai préparé une liste de matériaux, avec l'endroit où vous les trouverez au meilleur prix, expliqua-t-il en tendant un papier à la jeune femme. Quand on aura refait les plafonds, il faudra nous apporter la peinture que vous aurez choisie.

– D'accord. Quelles sont vos conditions de paiement.

– La moitié à la signature du contrat, le reste à la fin des travaux.

– Soit. Il va falloir que je passe à ma banque. On pourrait se retrouver ici après-demain pour signer le contrat. Je vous ferai un chèque par la même occasion.

L'affaire conclue Cassandra ressortit. Sous le soleil, Bill était assis au volant de sa Jeep et surveillait du coin de l'œil les jumelles occupées à cueillir des fleurs dans les hautes herbes qui entouraient la villa. Dès qu'elles aperçurent leur mère, celles-ci accoururent pour lui offrir leurs bouquets. Elle les embrassa tendrement.

Quand toutes trois eurent pris place dans la Jeep, Bill mit le moteur en marche.

– Vous voulez passer au supermarché? proposa-t-il.

– Si ça ne vous dérange pas, répondit-elle, un peu gênée. Je tiens à ce que Mavis trouve le réfrigérateur plein à son arrivée.

– Mavis? répéta Bill en haussant les sourcils.

– La gouvernante que je viens d'engager. Elle est très gentille, je suis sûre qu'elle vous plaira.

87

Sourire aux lèvres, Cassandra laissa la brise caresser son visage tandis que la Jeep filait vers le centre ville. Le lancement imminent des travaux la réjouissait. En passant devant la banque, elle se souvint qu'elle y avait pris rendez-vous.

– Pouvez-vous m'attendre un instant ici? demanda-t-elle. Il faut que j'ouvre un compte. Je les ai déjà prévenus de mon passage. En principe, tout est prêt, je n'ai plus qu'à signer.

Bill hocha la tête et se gara devant l'agence.

– Je reviens toute de suite, lança la jeune femme en sautant de la Jeep.

Lorsqu'elle entra dans la banque, toutes les têtes se tournèrent vers elle. Un employé la conduisit au bureau du directeur, où tous les papiers la concernant l'attendaient.

– Bienvenue à Peculiar, Cassandra, lui lança Ed Calhoun, le responsable, en s'avançant vers elle.

Ils se connaissaient bien. Enfant, Cassandra avait été la meilleure amie de sa fille. Il la prit dans ses bras et l'embrassa avec chaleur.

– C'est un plaisir d'accueillir une célébrité dans notre petite ville.

– Vous exagérez, monsieur Calhoun. Je...

– Appelez-moi Ed.

– D'accord, Ed. Je suis maintenant une mère de famille comme une autre.

Tout en signant divers papiers, elle lui demanda des nouvelles de sa fille.

– Revenez un jour où vous aurez un peu de temps à perdre, dit l'homme en lui tendant un carnet de chèques. Nous pourrons bavarder.

Une fois remplie les formalités nécessaires, elle prit congé et rejoignit la voiture. Bill démarra et s'engagea dans la direction du petit supermarché.

A l'intérieur, Cassandra choisit un Caddie et se perdit entre les rayons, les jumelles à ses basques. Bill l'imita. Lorsqu'elle s'en aperçut, elle s'arrêta pour l'attendre.

— Qu'est-ce que vous faites avec ce Caddie? demanda-t-elle. On était convenus que je prendrais les courses en charge.

— Vous avez décidé ça toute seule. Il n'en est pas question. Mieux vaut partager les frais.

A son air déterminé, Cassandra sentit qu'il était inutile de discuter et poussa un soupir. Elle repartit en quête de victuailles, tout en surveillant de temps à autre Bill du coin de l'œil. Ses filles l'avaient suivi et tentaient de l'attirer vers le rayon des confiseries. Impossible de ne pas remarquer les regards langoureux que lui adressaient bon nombre de femmes. Cassandra sentit monter en elle une pointe de jalousie qu'elle réduisit aussitôt au silence.

A la caisse, ils laissèrent chacun un chèque d'égale valeur. La caissière, qui devait tout au plus avoir seize ans, ne parvenait pas à détacher les yeux de Bill. Le sourire que celui-ci lui adressa en réponse laissa Cassandra stupéfaite. Une fois dehors, elle se retint à grand-peine de lui faire part de son indignation.

De retour à la maison, elle l'aida à ranger les provisions.

— J'ai acheté du bifteck, annonça-t-il. Je vais le cuire sur le gril.

– Je me charge des patates sautées et de la salade, renchérit-elle d'un ton enjoué.

Elle se mit aussitôt à l'ouvrage, ainsi que Bill. Chaque fois qu'il prenait ustensiles ou ingrédients dans le placard, son bras effleurait celui de Cassandra. Elle comprit bientôt qu'il le faisait exprès et, troublée, s'écarta sans remarquer le sourire qui dansait sur les lèvres de son compagnons.

– Je vais voir ce que font les filles, déclara la jeune femme quand elle eut fini d'éplucher les pommes de terre. Je me demande où elles sont.

– Avec les chatons.

– Je suppose qu'il va falloir que je leur en offre un quand nous emménagerons. Elles n'ont jamais eu d'animal à la maison.

– Vous plaisantez?

– Pas du tout. Leur père était allergique aux chats. En plus, nous nous déplacions constamment.

– Décidément, votre mari avait toutes les qualités.

Bien qu'elle l'approuvât intérieurement, Cassandra lui jeta un regard froid, puis s'absorba dans un silence songeur.

– A quoi pensez-vous? demanda Bill en salant la viande.

– A la manière dont j'ai gâché ma vie, soupira-t-elle, étonnée de sa propre sincérité. A cause de moi, mes filles n'ont jamais connu le bonheur d'avoir un vrai père.

Bill vint à elle et la prit délicatement par les épaules.

— Ce n'est pas si grave, murmura-t-il. Franchement, elles n'ont pas l'air d'en souffrir. Je les trouve très épanouies.

— Tara est trop renfermée.

— Elle est un peu timide, voilà tout.

— Je m'inquiète à son sujet.

— Vous êtes comme toutes les mères, la rassura-t-il en souriant, tandis que les grands yeux de Cassandra s'embuaient de larmes. Ne pleurez pas. Je n'ai jamais pu supporter de voir une femme pleurer.

— Excusez-moi, balbutia-t-elle en étouffant un sanglot.

Les mains de Bill posées sur ses épaules répandaient en elle une douce chaleur. La jeune femme leva les yeux sur lui et se noya dans les profondeurs de son regard bleu, qui scintillait au cœur de ce sombre visage aux traits réguliers. Elle contempla un instant ses lèvres et le goût de ses baisers lui revint en mémoire. Bill comprit aussitôt et se pencha pour l'embrasser. Bouleversée, Cassandra entrouvrit la bouche et ferma les paupières pour laisser libre cours aux folles sensations qui explosaient en elle. Ils échangèrent un interminable baiser, chargé de saveurs inouïes.

Lorsque leurs lèvres se séparèrent, tous deux poussèrent un soupir.

— C'est si bon..., murmura Bill, le regard brillant. J'ai envie de vous Cassandra.

Elle crut que ses jambes allaient se dérober. La tête lui tournait.

— Bill, je ne crois pas que...

— Vous aussi, vous avez envie de moi, souffla-
t-il d'une voix altérée par le désir. C'est écrit dans
vos yeux. Pourquoi le nier?

— Après tout ce que j'ai vécu, dit-elle en s'écartant légèrement, je ne veux plus entendre parler
d'amour.

— Qui vous parle d'amour? lâcha Bill, souriant.
Elle se raidit.

— Excusez-moi, répondit-elle. J'oubliais à qui
j'avais affaire.

— Je peux vous aider à oublier vos problèmes,
Cassandra. Depuis vos quinze ans, j'ai toujours eu
envie de vous, mais vous étiez trop jeune. Maintenant, vous êtes une femme.

— N'insistez pas, Bill, déclara-t-elle en se déga-
geant. Je n'ai jamais été portée sur les aventures
d'un soir.

— Qui vous parle de ça? Je n'arrive pas à
comprendre ce que vous cherchez, Cassandra.
Quelqu'un qui vous saoulerait de fausses pro-
messe? Je ne peux pas croire que vous n'ayez pas
tiré les enseignements de votre mariage. Je suis
sincère, moi. J'aime que les choses soient claires.

— Je vais voir ce que font les filles, dit Cassandra en partant vers la porte.

— Vous me fuyez encore, insista Bill en la suivant. De quoi avez-vous peur?

Sans répondre, la fugitive traversa la cour et
pénétra dans l'écurie, où elle trouva les jumelles
en train de jouer avec les chatons.

— Regarde comme il est mignon, fit Tara en lui
montrant un chaton blanc et noir. Je peux le garder pour moi?

Souriante, Cassandra s'agenouilla près d'elle.

— Seulement quand nous aurons emménagé. Et bien sûr, si M. Mitchum est d'accord.

La joie se lut sur les traits de la fillette. Pour ne pas être en reste, Bree en choisit un à son tour.

— Et 'moi, je veux celui-là, annonça-t-elle.

Cassandra hocha la tête et caressa distraitement la mère des chatons, qui se mit aussitôt à ronronner. Il n'y avait qu'avec ses filles qu'elle se sentait à l'abri de Bill. il lui fallait à tout prix garder ses distances.

Pendant tout le dîner, il ne la quitta pas des yeux. Cassandra se montra polie mais réservée. Quand vint l'heure de coucher ses filles, elle s'excusa et se retira elle aussi dans sa chambre. Elle mit longtemps à trouver le sommeil, hantée par le souvenir des yeux bleus qui la poursuivaient sans répit.

Mavis arriva pendant qu'ils prenaient leur petit déjeuner. Cassandra la présenta à Bill. Après lui avoir serré la main, elle se tourna vers la jeune femme.

— Où sont les deux petits anges? s'enquit-elle en souriant.

— Elles dorment encore. Ça nous permet de profiter un peu du silence.

— Qu'est-ce qu'elles ont l'habitude de manger, le matin?

— Des beignets, quand j'ai le courage d'en préparer. Sinon, un bol de céréales et des tartines grillées.

– Je vais leur confectionner des beignets, déclara Mavis en sortant un tablier de son cabas.

– Faites attention à ne pas trop les gâter. Ça se retournerait contre vous.

– Les enfants, croyez-moi, ça me connaît. Avec les miens, je n'ai jamais eu de problèmes. Et vos filles ont l'air adorables. Vous pouvez vous fier à moi.

– Excusez-moi, je n'ai pas eu le temps de noter la liste des choses à faire. Depuis hier, je n'ai pas arrêté de courir...

– Ne vous inquiétez pas, je sais m'y prendre. J'ai travaillé la moitié de ma vie comme employée de maison.

Joignant le geste à la parole, Mavis ouvrit un placard et en sortit le mixeur, devinant instantanément où il était rangé.

– Ça m'a l'air d'être une perle, glissa Bill à l'oreille de Cassandra.

– C'est bien pour ça que je l'ai prise!

Les frères Suthers avaient engagé trois hommes, et la villa des Kelsey bourdonnait d'activité. Deux jours après la signature du contrat, un camion vint livrer une pleine cargaison de poutres et de tuiles. Cassandra les regarda décharger le matériel, satisfaite de la vitesse à laquelle le chantier démarrait. Sans doute la prime qu'elle avait promise aux Suthers y était-elle pour quelque chose.

Elle décida d'aller en ville à la recherche d'objets pour sa maison. Après plusieurs jours de leçons intensives, Bill l'avait jugée apte à conduire seule. Deux heures plus tard, chargée d'achats, Cassandra gara la Jeep devant la ferme. Bill vint à sa rencontre.

– Si nous faisions un saut jusqu'à la ville voisine avec les filles pour essayer de vous trouver une voiture? proposa-t-il.

– D'accord, répondit Cassandra en souriant, consciente du dérangement qu'elle lui infligeait chaque fois qu'elle lui empruntait sa Jeep. Vous me donnez une demi-heure pour prendre une douche et me changer?

Il hocha la tête en regardant sa montre.

– On pourrait en profiter pour déjeuner en chemin.

Mavis s'offrit pour rester avec les filles, qui n'avaient aucune envie d'arpenter les garages à la recherche d'une voiture. Après les avoir inondées de recommandations, Cassandra les confia à la gouvernante et rejoignit Bill qui l'attendait au volant de la Jeep.

Ils roulèrent quelque temps en bavardant, puis Bill s'arrêta devant un petit restaurant de campagne.

– Vous aimez les barbecues?

– J'adore ça, répondit-elle. Mais c'est très mauvais pour mon régime.

– En tout cas, j'ai faim. Si vous voulez, vous pourrez vous contenter d'une feuille de laitue, ils doivent bien en avoir.

– Pas question. Je suis capable de dévorer mon poids en côtelettes.

L'endroit n'avait pas particulièrement de charme, mais les odeurs qui s'élevaient de la cuisine leur mirent l'eau à la bouche. Bill la conduisit jusqu'à une grande table de bois rustique. Une grosse serveuse en jean et tee-shirt leur tendit le menu.

– Alors? Comment vont les travaux? s'enquit Bill après qu'ils eurent commandé. Ça se présente bien?

– En ville, j'ai acheté une bonne partie du matériel que m'ont demandé les Suthers, mais il manque encore pas mal de choses. A Peculiar, le choix est un peu limité.

Elle n'était pas à son aise. Depuis leur entrée, Bill la dévorait du regard, laissant de temps à autre glisser ses yeux bleus sur les épaules de Cassandra, mises en valeur par un bustier d'un jaune éclatant. Elle portait une jupe assortie et s'était parée de grosses boucles d'oreilles en ivoire.

– Vous êtes ravissante, finit-il par dire. Comme toujours, d'ailleurs.

– Merci. Vous n'êtes pas mal non plus.

– Pas mal? C'est tout? fit-il en lui décochant un regard malicieux.

– Ne commencez pas, répondit Cassandra en pinçant les lèvres.

– Vous êtes belle à croquer. Et ce parfum! Si on oubliait un peu cette voiture et...

– Laissez tomber. La réponse est non.

– Comment pouvez-vous dire non, alors que je ne vous ai même pas expliqué mon idée?

Cassandra allait lui répondre quand la serveuse revint avec un plat chargé de brochettes et de viande grillée. Voyant que Bill ne la quittait pas des yeux, elle prit une côtelette et commença à manger en prenant grand soin d'éviter le regard fixé sur elle.

— Vous vous acharnez à fuir l'inévitable, lâcha Bill en attaquant enfin sa brochette. Vous savez comme moi qu'on finira par... disons, sortir ensemble. C'est une simple question de temps.

Cassandra manqua s'étrangler et le fusilla du regard.

— Je commence à me demander si vous avez vraiment l'intention de m'aider à acheter une voiture. Il ne s'agirait pas plutôt d'une de vos ruses?

— Où avez-vous déniché ces yeux mauves? Je ne vois personne dans votre famille qui les ait de cette couleur.

— Vous détournez la conversation.

— Le soir, quand la lumière est favorable, ils deviennent presque violets. Vous saviez ça?

— Oui. Vous n'êtes pas le premier à me le faire remarquer.

— Je me demande de quelle couleur ils sont quand vous n'êtes pas seule, au lit.

Cette fois, Cassandra s'étrangla pour de bon. Écarlate, elle se mit à tousser. Sans perdre son calme, Bill se leva et lui tapota le dos jusqu'à ce qu'elle ait repris haleine. Dans le restaurant, tout le monde la regardait fixement.

— Ça va mieux?

Deux grosses larmes roulèrent sur les joues de la jeune femme.

– Vous... vous essayez constamment de me plonger dans l'embarras, bredouilla-t-elle.

– C'est vrai, admit-il en souriant. Mais pas au point de chercher à vous faire avaler de travers.

– J'aimerais que vous m'expliquiez une chose, ajouta-t-elle d'un ton sec. Si vous êtes tellement sûr que je finirai par vous supplier à genoux de me laisser entrer dans votre lit, pourquoi passez-vous votre temps à débiter des allusions osées?

– Vous avez déjà essayé de démarrer un tracteur?

– Quel est le rapport? lâcha-t-elle en pâlissant.

– Ça ne marche jamais du premier coup. Pour le mettre en marche, il faut le titiller, jouer avec lui. Avec les femmes, c'est la même chose.

– Vous me comparez à un tracteur! dit-elle d'un ton incrédule. Il n'y a pas à dire, vous savez trouver les mots qu'il faut pour séduire une femme. Quel tact! Quel art du compliment!

– Je ne vois pas pourquoi je devrais perdre mon temps en bavardages inutiles. Les femmes, comme les hommes, ont des pulsions, et...

– Taisez-vous, Bill.

– Pourquoi le nier? Comment c'était avec votre mari? Est-ce qu'il comblait vos besoins?

– Je vous ai dit de vous taire! gronda-t-elle, mâchoires serrées. Tout ça ne regarde que moi. Parfois, une femme a simplement besoin qu'on la prenne dans ses bras, Bill. Peu importe la personne, l'important est qu'elle puisse oublier un instant sa solitude. Vous n'avez jamais pensé à ça? Non, je constate à votre tête que l'idée ne vous a jamais effleuré. Et maintenant, cette discussion a assez duré, conclut-elle en jetant sa serviette à côté de son assiette à moitié pleine.

– Où allez-vous?

– Vous attendre dans la voiture, lança-t-elle en partant vers la porte.

A son tour, Bill repoussa sa serviette et poussa un soupir. Il s'en voulait terriblement. Pourquoi s'acharnait-il à envenimer les choses? Cassandra était différente des autres. Elle le déroutait. La plupart des femmes de sa connaissance ne cherchaient qu'à passer un bon moment en sa compagnie. Il lui faudrait donc modifier son comportement, ce dont il était tout à fait capable : il l'avait prouvé en devenant maire de Peculiar. Bill avait en effet appris à prendre des décisions, à changer de langage. S'il y était obligé, il saurait bien se tenir.

La fin du trajet se déroula en silence. Tandis que Bill se concentrait sur son volant, Cassandra contemplait le paysage. Peu après leur entrée dans Fairfield, la jeune femme aperçut l'enseigne d'un concessionnaire Mercedes et demanda à son compagnon de s'arrêter devant.

– Ce n'est pas du tout ce qu'il vous faut, objecta-t-il en fronçant les sourcils. Je vous rappelle que vous vivez maintenant à la campagne.

– C'est moi qui décide, Bill. C'est mon argent.

Deux heures plus tard, Cassandra était propriétaire d'une magnifique Mercedes couleur crème, qu'elle devrait revenir chercher dès que les papiers seraient en règle. Pendant la durée des négociations, Bill était resté dans le hall à feuilleter des magazines. Sa première idée avait été d'acheter un quatre-quatre, mais le seul fait que Bill ait voulu l'influencer lui avait fait changer d'avis. Il lui restait beaucoup à apprendre sur les femmes, songea-t-elle non sans une certaine satisfaction. Tandis qu'il la raccompagnait vers Peculiar, mâchoires serrées, Cassandra lui jeta un coup d'œil à la dérobée, ravie de lui avoir enfin donné une leçon.

6

En sentant le papier peint se décoller à nouveau du plafond de la salle de bains, Cassandra marmonna un chapelet de jurons. Juchée sur l'escabeau, elle était en nage. Comment l'architecte qui avait construit la maison avait-il pu avoir l'idée imbécile de doter la pièce d'un plafond en rotonde? Écartant d'un revers de la main le papier gluant qui lui couvrait à demi le visage, notre bricoleuse poussa un soupir de désespoir. Mâchoires serrées, elle résista vaillamment à l'envie de le déchirer en mille morceaux.

— On peut entrer? lança la voix de Bill derrière la porte entrebâillée.

Sa tête apparut. En apercevant Cassandra sur son escabeau, sommairement vêtue d'un short moulant et d'un bustier rose, il haussa les sourcils.

— Qu'est-ce que vous fabriquez?

— A votre avis? maugréa-t-elle sans le moindre humour.

— Vous n'avez pas l'air très douée pour poser du papier peint.

– Vous croyez peut-être que j'ai fait ça toute ma vie?

Il s'avança vers l'escabeau.

– Laissez-moi prendre la relève un moment. Vos jolis bras doivent commencer à fatiguer.

Épuisée, Cassandra ne se fit pas prier et descendit de son perchoir.

– Merci, Bill. Maudit plafond! Autant essayer de poser du papier sur la voûte d'une église!

– Il faut savoir s'y prendre, c'est tout. Où est la colle?

– Dans la cuisine. C'est le seul endroit que j'ai trouvé pour apprêter cette saleté de papier.

– Allez la chercher. Et rapportez-moi une brosse.

Elle s'exécuta. Dès son retour, Bill se mit à l'ouvrage.

– Il aurait été plus simple de peindre cette salle de bains, déclara-t-il en collant soigneusement une première bande de papier sur la surface arrondie.

– Où avez-vous appris à poser du papier? demanda Cassandra d'un ton admiratif.

– Voyez-vous, madame Clair, j'ai exercé à peu près tous les sales boulots, de la plonge dans les bars au ramassage des foins, et j'en passe. Il fallait bien manger. Mais c'est encore au lit que je suis le meilleur, ajouta-t-il avec un clin d'œil espiègle.

– Écoutez, si c'est pour débiter vos sornettes habituelles, vous feriez mieux de me laisser. J'ai du pain sur la planche.

– Pourquoi faites-vous ça vous-même? A

Peculiar, ce n'est pas la main-d'œuvre qualifiée qui manque.

– Parce qu'il faut bien que je fasse quelque chose. Mavis se charge du ménage, et les filles sont dehors en train de jouer. Je ne supporte pas de rester inactive.

– J'aime assez les couleurs que vous avez choisies.

– Merci, dit-elle en partant vers la cuisine pour y couper une nouvelle bande de papier.

– Coupez-le un peu plus long pour qu'il puisse épouser l'arrondi du plafond, conseilla Bill en la suivant.

– Je sais, mentit-elle.

– Vous voulez un coup de main ? Je peux terminer cette salle de bains en deux temps trois mouvements.

– Pourquoi tenez-vous tant à m'aider ? demanda la jeune femme en le considérant d'un œil soupçonneux.

– Parce que je suis gentil.

– Ce n'est pas une raison suffisante.

– D'accord, soupira-t-il. J'ai un service à vous demander.

Elle croisa les bras.

– Si vous avez encore l'intention de revenir à la charge avec vos...

– Vous n'y êtes pas du tout, Cassandra, protesta-t-il d'un ton faussement indigné. Vous ne me croyez quand même pas capable de vouloir monnayer les faveurs d'une belle dame en détresse en échange d'un coup de main ?

– Si. Bon, de quoi s'agit-il?

– Je voudrais que vous m'accompagniez ce soir à un banquet de charité.

– Tiens donc!

– C'est très sérieux, Cassandra, dit-il d'un ton pénétrant. Nous lançons une campagne d'assistance aux vieillards abandonnés de tous. Nous allons monter un système de restauration à domicile et d'accompagnement médical. Et j'aimerais bien que nos concitoyens leur rendent visite de temps en temps. Ces gens-là vivent dans la solitude la plus complète. Ils n'ont personne à qui parler.

Cassandra, surprise, réalisa qu'elle ne connaissait qu'une infime partie de la personnalité de son hôte. Elle regretta les propos qu'elle venait de tenir.

– Et vous n'avez trouvé personne pour vous accompagner? J'ai du mal à y croire.

– Disons que je commence à devenir difficile sur le choix des cavalières.

– Vous croyez qu'on peut avoir fini cette salle de bains à temps? demanda-t-elle en tentant de dissimuler l'enthousiasme qui brillait dans ses yeux.

– Le banquet ne commence qu'à huit heures. Ça nous laisse plus de temps qu'il n'en faut.

Trois heures plus tard, la pièce était entièrement tapissée de papier couleur saumon. Après un dernier examen d'ensemble, Bill descendit de l'escabeau.

– Qu'est-ce que vous en pensez?

– Vous avez effectué un travail d'artiste. Vraiment, vous aimez cette couleur?

– Je ne connais rien à la décoration, mais je trouve ça très joli. On dirait que vous avez du goût en la matière. Vous ne pensez pas devenir décoratrice, si?

– Non, répondit-elle en riant. Je sais ce que j'aime, mais je ne connais rien aux goûts des autres.

Leurs regards se croisèrent. Un lourd silence s'abattit sur la salle de bains.

– Bill, je... Je suis désolée de ce que je vous ai dit tout à l'heure. Je me demande pourquoi il faut toujours que nous nous disputions.

Il s'approcha et darda sur elle le regard de ses grands yeux bleus.

– Vous voulez que je vous le dise? C'est parce que nous sommes violemment attirés l'un par l'autre. Vous pouvez toujours essayer de le nier, mais je le vois dans votre regard.

Il la prit par la taille et l'attira contre lui.

– Je n'aurais jamais dû accepter de rester chez vous, murmura Cassandra, incapable de détacher les yeux de lui. Tout ça ne se serait pas produit si j'avais pris une chambre d'hôtel.

– Où est le mal, Cassandra? C'est mon passé qui vous effraie? Mes origines, peut-être?

– Ne soyez pas ridicule. Ça n'a rien à voir avec vous. J'ai mes raisons.

– Vous pensez encore à votre mari?

– Non. Simplement, je n'ai plus envie de souffrir.

– Et vous croyez que je vous ferais souffrir?

– Je ne sais pas. Je ne pourrais jamais me donner à un homme qui ne me serait pas fidèle, avoua-t-elle en baissant les yeux.

– C'est vrai, j'ai fait les quatre cents coups dans ma jeunesse, et j'aime les femmes. Mais je ne suis pas un salopard.

– Que vous voulez-vous dire?

– Je suis un type régulier, Cassandra. Je n'ai jamais fait de fausses promesses. Que pourrait-on me reprocher?

– Je... Je ne crois pas que vous soyez le genre d'homme à avoir une liaison sérieuse, murmura-t-elle, de plus en plus troublée.

– Il faudrait vraiment que je rencontre une femme exceptionnelle, admit-il après un instant de réflexion.

Elle tenta de s'écarter, mais il la retint.

– Embrassez-moi, Cassandra.

– Bill, je...

Comme hypnotisée, la jeune femme se dressa sur la pointe des pieds et posa les lèvres sur celles de Bill. Comme il se laissait embrasser, elle s'enhardit et, succombant au désir qui montait en elle, resserra son étreinte. Il répondit fougueusement à son baiser.

– Cassandra..., souffla-t-il en lui caressant la joue de sa chaude haleine. J'ai tellement envie de vous...

– Taisez-vous, Bill..., chuchota-t-elle en frissonnant.

– Vous êtes si belle! Suis-je coupable d'avoir envie de vous?

– Moi aussi, j'en ai envie, Bill, confessa-t-elle en baissant les yeux. Mais ce n'est pas possible. J'ai assez souffert. Je ne veux pas que mes filles voient recommencer le cauchemar de mon mariage.

– Jamais je ne vous ferai de mal.

– Si, dit-elle avec un triste sourire. Vous avez peut-être changé, mais vous ne savez pas résister à un joli minois. Et puis vous commenceriez vite à vouloir prendre toutes les décisions à ma place.

– Non, Cassandra.

– J'ai besoin de temps. Je suis revenue pour commencer une nouvelle vie avec mes filles, et c'est ce que je vais faire. Je n'ai aucune envie de me lancer dans une liaison vouée à l'échec.

Poussant un long soupir, Bill ferma les yeux et inclina la tête en arrière pour lutter contre le désir qui bouillonnait dans ses veines.

– Si c'est ce que vous voulez, murmura-t-il d'une voix résignée, je n'insisterai plus.

Il la relâcha et sortit de la pièce sans un regard en arrière.

La cafétéria du lycée avait été choisie pour accueillir le banquet de charité. Une douzaine de mères de famille avaient passé la journée à confectionner les plats et les amuse-gueule. Bill et Cassandra arrivèrent tôt pour vérifier que tout était en ordre. Les femmes de Peculiar s'activaient à disposer nappes et couverts sur les tables.

Cassandra s'était vêtue pour l'occasion d'une jupe de coton beige et d'un corsage léger couleur pêche. Elle était ravissante avec ses grosses boucles d'oreilles carrées. Bill, lui, portait un costume bleu nuit.

– Je vais avoir besoin de votre aide pour accueillir les gens à l'entrée, lui glissa-t-il. Qu'est-ce que vous préférez? Cocher les noms sur la liste ou encaisser les dons?

– Encaisser les dons, répondit Cassandra après un instant de réflexion. C'est triste à dire, mais j'ai oublié la plupart des noms des gens d'ici.

– Ça vous reviendra, fit Bill en lui tendant une boîte métallique. Vous n'aurez qu'à mettre l'argent ici. Chacun doit verser huit dollars pour le dîner. La moitié ira à notre projet d'assistance aux personnes âgées.

Cassandra alla s'asseoir près de l'entrée, à côté d'une ancienne camarade de classe, avec qui elle se mit à bavarder à bâtons rompus tandis que les convives commençaient à affluer. Posté devant la table où elle s'était assise avec sa boîte en fer, Bill gratifiait chacun des arrivants d'une chaleureuse poignée de main et de quelques paroles amicales. Ensuite, ils s'avançaient vers Cassandra pour verser leur contribution.

Quand la salle fut bondée, Bill conduisit la jeune femme jusqu'à la table principale et la fit asseoir avant de prendre place à sa gauche. Pendant le dîner, les convives devisèrent joyeusement. Cassandra reconnut plusieurs visages, mais la plupart ne lui disaient rien. Après le dessert, un clafoutis aux cerises, Bill demanda la permission de se lever de table et monta sur l'estrade, où il alla s'entretenir avec les membres de l'équipe municipale. Un grand écran fut tiré au fond de la salle, tandis qu'un employé de la mairie poussait devant lui un projecteur de films. Sous le regard curieux des dîneurs, Bill s'avança au centre de l'estrade, brancha le microphone et le tapota à plusieurs reprises.

– Tout le monde m'entend?

Un murmure d'approbation s'éleva dans l'assistance.

– Parfait, dit-il, satisfait. D'abord, je voudrais tous vous remercier d'être venus ce soir. Et je tiens aussi à remercier celles qui nous ont aidés à organiser ce banquet, ajouta-t-il en désignant un groupe de femmes en tablier, rassemblées autour de la porte des cuisines. Je crois qu'on peut leur tirer notre chapeau pour cet excellent dîner.

Tout le monde applaudit. Les femmes rayonnaient. Quand le calme fut revenu, Bill reprit la parole d'un air sérieux :

– Quand j'ai été élu maire, je vous ai promis que nous allions faire, ensemble, tout ce qu'il fallait pour résoudre nos problèmes. Je dois avouer que je me suis montré un peu naïf. Je n'aurais jamais cru qu'une si petite ville puisse avoir tant de problèmes. En tout cas, ajouta-t-il après une brève pause, chaque fois que j'ai fait appel à vous, vous avez donné la preuve de votre générosité. Ensemble, nous avons monté un foyer pour les adolescents à problèmes, dirigé par des assistants sociaux et des bénévoles. Ensuite, nous avons créé plusieurs postes de secours permanent aux femmes battues et un réseau de refuges pour les animaux abandonnés. D'ailleurs, les cas de femmes battues et d'abandon d'animaux ont sensiblement baissé depuis cette prise de conscience.

Un tonnerre d'applaudissements retentit dans la salle. Cassandra ne parvenait pas à détacher les yeux de Bill. Depuis son retour, l'isolement de la ferme l'avait empêchée d'apprendre quoi que ce soit sur les activités publiques de son mystérieux hôte. Hantée par le souvenir du mauvais garçon, elle n'avait pas vu en lui l'homme responsable et soucieux du bien-être de ses administrés. Ce qu'elle découvrait à présent la fascinait.

— Avant d'en venir au sujet qui nous a réunis ce soir, j'aimerais vous rappeler ce que j'ai toujours dit, reprit Bill. Ce n'est pas moi qu'il faut applaudir, mais vous-mêmes. Sans vos efforts, rien n'aurait été possible. Merci à tous. Et maintenant, je voudrais vous parler d'un problème qui me préoccupe beaucoup. Nous nous sommes aperçus qu'il y a dans cette ville bon nombre de personnes âgées dont nul ne s'occupe. Nous en avons répertoriées au moins vingt-cinq. Leur pension leur permet à peine de survivre. Elles ne mangent que des conserves. Elles passent parfois des semaines entières sans voir âme humaine. Elles vivent chez elles comme des prisonnières. Elles n'ont plus la force d'aller à l'église ou sortir se promener. Mais plutôt qu'un long discours, ajouta-t-il après une pause, je crois que le film que nous avons réalisé vous permettra de vous rendre compte de l'étendue du problème. Après la projection, nous pourrons ouvrir le débat.

Lorsqu'il quitta l'estrade, un profond silence tomba sur l'assistance. Les lumières s'éteignirent et le projecteur fut mis en marche. Bill regagna sa place près de Cassandra. Elle le regardait comme si elle le voyait pour la première fois.

— Vous avez été magnifique, murmura-t-elle.

— Merci, répondit-il, surpris du compliment.

Bill ne s'était jamais considéré comme un brillant orateur. Il préparait rarement ses discours et aimait dire les choses comme il les sentait. Ses concitoyens préféraient la simple vérité aux tournures fleuries, et il s'efforçait de les contenter. C'était son rôle.

Pendant vingt minutes, le film présenta un témoignage sans complaisance de la solitude et de la souffrance des personnes âgées dont il dressait le portrait. Lorsque la lumière revint, les yeux de Cassandra étaient embués de larmes. Malgré ses problèmes avec Jean-François, elle se rendit compte qu'elle n'avait jamais vraiment souffert. Elle avait ses filles, une maison bientôt restaurée et ne manquait de rien. Bill resta quelques instants assis, pour donner à ses concitoyens le temps de méditer ce qu'ils venaient de voir, puis se leva et regagna l'estrade.

— Ne croyez pas que j'aie eu l'intention de vous gâcher la soirée avec ce triste spectacle, commença-t-il, solennel. D'ailleurs, j'ai longtemps hésité avant de me décider à vous montrer ce film.

Dans l'assistance, tous les visages étaient lugubres.

– J'ai toujours essayé d'être honnête et sincère avec vous. Parfois, la vérité fait mal, mais elle vaut toujours mieux que les mensonges. Ce que je vous demande maintenant, c'est de nous aider à en finir avec la misère et l'isolement de ces gens, qui représentent les racines de Peculiar. Pensez qu'ils pourraient être nos pères et nos mères.

Une formidable ovation fit trembler les murs de la salle.

– Merci, dit-il quand le silence fut revenu. Je suis certain que je vais pouvoir compter sur vous encore une fois. Des questions?

– Moi, j'ai une question, oui, lança Edgar Aldridge, le propriétaire de la quincaillerie, en se levant de sa chaise. J'aimerais savoir quand sera formé le comité chargé de résoudre ce problème. Ma femme est volontaire pour rendre visite tous les jours à une de ces personnes. Quant à moi, j'ai décidé de donner cinq cents dollars pour le projet.

Une rumeur parcourut l'assistance.

– Et je suggère à tout le monde de ne pas hésiter à écouter sa conscience, conclut-il en se rasseyant.

Plusieurs personnes levèrent la main, demandant à prendre la parole.

Et ce n'était qu'un début.

7

IL était fort tard quand Bill et Cassandra rentrèrent à la ferme. Ils trouvèrent Mavis endormie devant la télévision. En les entendant, elle ouvrit un œil et s'étira.

— Comment s'est passée la soirée? s'enquit-elle d'une voix ensommeillée.

— Bill a fait un discours formidable, répondit Cassandra, très enthousiaste. Ensuite, nous avons vu un film sur la vie quotidienne des gens âgés qui n'ont plus personne. Le public a merveilleusement réagi.

— Vous voulez une tasse de café? lança Bill depuis la cuisine.

— Oui, s'il vous plaît, dit la jeune femme en se retournant vers Mavis. A la fin de la soirée, la mairie avait récolté plus d'argent qu'il n'en fallait pour lancer le projet et assez de volontaires pour assurer la prise en charge partielle de tous les vieillards concernés. Le Dr Richardson, de la clinique, s'est même proposé pour vérifier leur état de santé une fois par mois. Il a aussi promis de suggérer à ses collègues de l'imiter. Regardez, ajouta-t-elle en sortant un papier de son sac à main, moi aussi, je dois m'occuper d'une vieille dame. Elle a quatre-vingt-deux ans et adore lire, mais sa cataracte l'en empêche. Dès que je connaîtrai ses goûts, je passerai à la bibliothèque et...

– Vous devriez laisser cette pauvre Mavis aller se coucher, intervint Bill en lui tendant une tasse de café. Elle tombe de sommeil.

– C'est vrai, reconnut Cassandra. Excusez-moi, Mavis. Les filles ont été sages?

– Bien sûr. Elle n'ont pas fait la moindre histoire. Nous avons joué aux dames et aux dominos, raconta-t-elle après un bâillement, en se dirigeant d'un pas traînant vers l'escalier. Bonne nuit à tous les deux. Je suis contente de savoir que votre soirée s'est bien passée.

– Elle est gentille, fit Cassandra quand Bill vint la rejoindre sur le canapé.

– Merci de m'avoir accompagné, soupira-t-il en ôtant ses chaussures, fatigué mais trop énervé par les événements de la soirée pour pouvoir trouver le sommeil.

La jeune femme était déjà pieds nus, ses longues jambes repliées sous elle. A la voir, on eût dit qu'elle était chez elle.

– Je n'aurais jamais cru qu'ils viendraient en si grand nombre, remarqua-t-elle. La salle était pleine à craquer.

– C'est parce qu'ils savaient que vous seriez là. Ce n'est pas tous les jours qu'ils ont l'occasion de voir un célèbre mannequin de près.

– Vous savez bien que ce n'est pas vrai. La ville

est folle de vous. Sadie Ferguson m'a raconté comment vous avez provoqué une enquête sur les conditions de travail à la filature. Cette filature, c'est toute la vie de mes parents, Bill. Ils y sont encore employés. Si les choses se sont améliorées, c'est en partie grâce à vous. D'ailleurs, Jeremy Bishop m'a affirmé que vous aviez plus fait pour la ville en trois ans que le maire précédent en dix.

— Cassandra, je...

— Ce que je veux dire, c'est que je suis très fière de vous.

Il la regarda d'un air surpirs.

— J'étais tellement influencée par le souvenir du mauvais garçon que vous avez été que je n'ai même pas remarqué que vous êtes devenu un type épatant. Vous êtes sensible, généreux et...

— Vous me gênez, lâcha-t-il en tâchant de dissimuler son plaisir. Je fais mon travail, voilà tout.

Après quelques instants de silence, il tira de la poche de sa chemise un chèque plié en deux et le tendit à Cassandra. Celle-ci le reconnut sans peine.

— Qui vous a donné ça? demanda-t-elle, surprise.

— Le trésorier, juste avant notre départ. Vous ne croyez pas que vous y êtes allée un peu fort en versant dix mille dollars?

— J'aurais souhaité pouvoir faire un don anonyme, mais je n'ai pas l'habitude d'avoir sur moi de telles sommes en liquide. Ce que je voudrais, c'est participer à l'achat d'une camionnette pour livrer à ces pauvres gens des repas à domicile.

L'air piqué de la jeune femme fit sourire Bill.

– C'est un projet communautaire, Cassandra. Il ne serait pas normal qu'une personne en supporte les frais presque à elle toute seule.

– En un sens, je ne fais que m'acquitter d'une dette, répondit-elle après un instant de réflexion. J'ai toujours eu de la chance, voyez-vous. Des parents aimants, qui ont veillé à ce que je ne manque jamais de rien. Nous n'étions pas riches, mais nous n'avions pas à nous plaindre. Mes sœurs et moi, nous avons eu une enfance merveilleuse.

– Peut-être, mais...

– Ensuite, je suis montée à New York pour devenir styliste et je me suis retrouvée mannequin. Évidemment, il m'a fallu endurer Jean-François, mais il était souvent absent. J'ai habité les plus beaux quartiers, j'ai sillonné le monde entier, toujours dans les meilleurs hôtels. En trente ans, j'ai vu plus de choses que la plupart des gens en voient de toute leur vie. Et pour couronner le tout, j'ai deux filles superbes et adorables. Je crois que dix mille dollars, c'est encore bien peu pour soulager les souffrances de ces malheureux. D'ailleurs, je suis riche.

– Ce n'est pas la question, Cassandra. De toute façon, nous trouverons bientôt de nouvelles causes à défendre. Je préfère que vous ne donniez pas plus que les autres, sans compter que vous allez devoir investir une fortune dans la restauration de votre maison. Bientôt, il vous faudra financer les études de vos filles. En toute conscience, je ne peux pas accepter ce chèque.

116

Il le déchira sous le regard incrédule de Cassandra.

— Je trouve plus important que vous ayez accepté de vous occuper d'une vieille dame. Si vous tenez absolument à faire un don, n'hésitez pas, mais tâchez de rester dans la limite du raisonnable.

Sans doute s'imaginait-il qu'elle avait offert une telle somme pour étaler sa richesse, songea tristement Cassandra.

— Je vous signerai un autre chèque demain matin, déclara-t-elle d'un ton neutre en dépliant ses jambes. J'ai sommeil, je crois que je vais aller me coucher.

— Je ne voulais pas vous blesser, fit Bill en la retenant par le bras.

Comme elle refusait de le regarder en face, il lui souleva délicatement le menton et sourit.

— C'est pour vous que je fais ça, princesse, ajouta-t-il en l'attirant contre lui. Je n'aurais jamais cru pouvoir attacher autant d'importance à quelqu'un, Cassandra. C'est vrai, j'agis au mieux pour améliorer les choses à Peculiar, mais c'est surtout par sens civique. Mais vous... Vos filles..., ajouta-t-il, cherchant ses mots. Vous... Vous avez mis ma vie sens dessus dessous.

Leurs deux visages étaient si près qu'ils se touchaient presque. Cassandra osait à peine respirer, sidérée par les paroles qu'elle venait d'entendre.

— Où est passé le voyou que j'ai connu? murmura-t-elle.

— Mieux vaut ne pas en parler.

– Au contraire. Sinon, je continuerai à me demander si vous n'êtes pas en train de jouer la comédie.

– Je ne joue pas, protesta-t-il d'un air sombre.

– Si je compte à ce point pour vous, vous devez me faire confiance. Et si vous me faites confiance, dites-moi la vérité.

Bill s'écarta d'elle et se pencha en avant, doigts croisés, comme si ce qu'il allait lui dire lui coûtait un violent effort. Il prit sa tasse de café, la vida et poussa un soupir.

– Quand c'est arrivé, commença-t-il d'une voix mal assurée, tout Peculiar a frémi d'horreur. Plus personne n'en parle aujourd'hui, mais moi, je n'ai pas oublié. Je revois la scène chaque fois que je ferme les yeux.

– Que s'est-il passé?

– Sûrement le pire accident de la route de l'histoire de Peculiar. A l'époque, j'étais un vaurien sans le moindre avenir. Je passais mon temps à traîner avec les pires voyous. La plupart du temps, j'étais complètement ivre. Je me suis battu si souvent que je ne me rappelle plus avec qui ni pourquoi. Une nuit, après avoir bu comme des trous, mes copains et moi avons décidé de poursuivre une autre voiture. Le type qui conduisait a perdu le contrôle dans un virage et on s'est jetés contre un poteau télégraphique. J'étais à l'arrière. Tous les autres sont morts.

Un petit cri s'échappa des lèvres de Cassandra.

– J'ai perdu conscience pendant quelques minutes, mais quand je me suis réveillé, la voiture était complètement broyée. Les pompiers ont dû l'ouvrir au chalumeau pour me sortir de là. J'ai attendu pendant deux heures, coincé entre mes quatre copains morts.

— Ne dites plus rien, murmura Cassandra en lui caressant la joue. Vous étiez grièvement blessé?

— J'ai passé plusieurs mois à l'hôpital, répondit-il avec un sourir amer. Mes os étaient en morceaux.

— Mais vous vous en êtes complètement sorti?

— Oui. J'ai quelques cicatrices sur les jambes, mais ce n'est pas grand-chose. Les toubibs ont fait du bon travail. Trois mois à l'hôpital, c'est long, ajouta-t-il après un instant de silence. Ça vous donne le temps de réfléchir à une foule de choses. Pour la première fois, je me suis détesté. Je me sentais coupable d'avoir survécu. Et puis, j'ai commencé à me demander pourquoi j'avais échappé à la mort. J'ai fini par me dire qu'il y avait sûrement une raison. Des tas de gens sont venus me voir. Certains étaient de parfaits inconnus. Ils restaient des heures entières. Au début, j'étais tellement révolté que je refusais de leur adresser la parole. Mais rien n'y faisait, ils revenaient toujours. Pour la première fois de ma vie, j'ai senti que des êtres humains s'intéressaient à mon sort.

— Et ensuite?

— A ma sortie de l'hôpital, j'ai trouvé du travail et je me suis juré de ne plus jamais boire ni me battre. Je me suis mis à faire du bénévolat pour la mairie. Quand il a fallu repeindre l'église, j'y suis allé. Au bout d'un moment, c'est devenu une habitude. Ça me permettait de dépenser mon énergie de manière positive.

Touchée, Cassandra lui déposa un baiser sur la joue. Il la contempla d'un air grave, puis esquissa un sourire dévastateur.

– Surtout, n'allez pas croire que cet accident m'a laissé des séquelles au niveau de...

– Ça ne m'a même pas effleurée, rétorqua Cassandra en pouffant de rire.

– Au contraire, je me suis plutôt amélioré avec l'âge.

– Je vais me coucher, annonça-t-elle en se levant, le feu aux joues.

– Quand on est jeune, on a tendance à aller trop vite en besogne, poursuivit-il en se levant à son tour sans la quitter des yeux. C'est bien connu.

– Ça suffit, Bill, soupira-t-elle en se dirigeant vers l'escalier.

– En vieillissant, on apprend à être patient. On cherche à faire durer le plaisir.

– Bonne nuit, Bill, murmura Cassandra, au comble du trouble, en gravissant lentement les marches qui menaient à sa chambre.

Une heure plus tard, Cassandra n'avait toujours pas trouvé le sommeil. Sans doute était-ce le café, songea-t-elle en se retournant dans son lit. Elle poussa un soupir et se leva pour aller regarder par la fenêtre. Les étoiles scintillaient dans le ciel noir comme autant de diamants, mais l'image de

Bill, omniprésente dans ses pensées, l'empêchait d'admirer leur éclat. Le souvenir des baisers qu'il lui avait donnés lui arracha un frisson.

L'insomniaque avait besoin d'un grand verre de lait chaud pour ensuite dormir tranquille. Elle descendit l'escalier sur la pointe des pieds, entra dans la cuisine et versa un demi-litre de lait dans une casserole.

En regardant le liquide bouillonner sous la brûlure des flammes, la jeune femme songea qu'il lui aurait plutôt fallu boire un grand verre d'alcool pour se calmer. Mais Bill n'avait pas d'alcool chez lui.

Quand le lait eut bouilli, elle le laissa refroidir quelques instants, puis le versa dans un verre et l'avala d'un trait. Elle fit la grimace. Une fois le verre lavé, elle éteignit la lumière de la cuisine et repartit vers l'escalier. Au pied de la première marche, elle s'arrêta net. Son cœur battait la chamade. Ses oreilles bourdonnaient. Telle une somnambule, elle fit demi-tour et s'avança vers la chambre de Bill, s'immobilisa une fraction de seconde devant la porte close puis posa la main sur la poignée. Il n'avait pas fermé à clé. Elle en fut soulagée.

Avec une extrême lenteur, Cassandra poussa la porte et se faufila à l'intérieur. La lune baignait la pièce d'une clarté surnaturelle. Elle contempla la silhouette de l'homme étendu sur le lit, puis fit deux pas en avant.

— Cassandra? chuchota Bill en se redressant sur un coude.

En une silencieuse invite, il écarta le drap.

— Il y a longtemps que je vous attends, soufflat-il d'une voix chargée d'émotion. Des années.

Elle poussa un petit rire nerveux. Avec sa crinière rebelle et ses yeux brillants, elle était splendide dans la pénombre.

— N'ayez pas peur, reprit Bill. Si vous préférez, nous resterons simplement enlacés.

Ses paroles donnèrent à Cassandra le courage de le rejoindre. Les draps étaient imprégnés de son odeur. En se blottissant contre lui, elle étouffa un petit cri lorsqu'elle s'aperçut qu'il était nu.

— Ce ne serait pas mieux si vous ôtiez votre robe de chambre? fit Bill en souriant.

— Comment? Oh! oui, bien sûr...

Avec l'aide de son compagnon, elle parvint à s'en débarrasser. Puis il l'attira à lui et l'embrassa. Le cœur de Cassandra battait si follement qu'elle avait l'impression que son vacarme faisait trembler les murs de la ferme.

— Caressez-moi, Cassandra, la pria-t-il doucement. Caressez mon visage.

Cassandra obéit presque malgré elle. Sa barbe naissante rendait rugueuse la peau de sa joue cuivrée. La jeune femme laissa glisser une main jusqu'au torse de Bill et sentit ses puissants pectoraux se contracter sous ses doigts, puis elle s'aventura jusqu'à son nombril.

— Continuez, murmura-t-il d'une voix altérée de désir, luttant contre l'envie de se jeter sur elle sur-le-champ.

Elle sentit la tête lui tourner quand il lui

effleura les seins de sa paume brûlante tout en l'embrassant au creux du cou. Il écarta les pans de sa chemise de nuit et renonça un instant à ses baisers pour contempler sa flamboyante nudité d'un œil émerveillé. Deux globes palpitants s'offraient à lui, il y posa ses lèvres assoiffées. Cassandra poussa un gémissement de plaisir. Les virevoltantes sensations qui l'envahissaient réduisirent peu à peu sa timidité au silence, tandis que les lèvres de Bill traçaient d'ardents sillons sur son corps frémissant. D'une main tremblante, elle effleura le bassin de son compagnon et découvrit l'évidence de son désir. Enhardi, celui-ci descendit encore, couvrant de baisers la naissance de ses cuisses, puis, avec d'infinies précautions, entreprit de boire à la source de sa féminité. Un instant Cassandra se raidit, mais la merveilleuse chaleur qui irradiait ses veines balaya ses scrupules et elle le laissa faire, saisie d'un charmant vertige qui la força à agripper les draps.

Après un temps infini, il se redressa, la couvrit de son corps et entra lentement en elle. Elle l'accueillit en silence, timidement d'abord, puis vint à sa rencontre en s'arc-boutant contre lui. Soudés l'un à l'autre, ils s'abandonnèrent au rituel immuable de l'amour charnel et basculèrent ensemble dans un monde irréel où seule la volupté comptait. Quand la tension de leurs corps atteignit les sommets de l'extase, ils poussèrent ensemble un gémissement de plaisir et s'écroulèrent, foudroyés.

Lorsque Cassandra rouvrit les paupières, elle

eut l'impression d'émerger d'un rêve. Elle se dégagea doucement de l'étreinte de Bill et tendit le bras vers sa chemise de nuit.

— Qu'est-ce que vous faites? murmura-t-il.

— Je me rhabille. Il faut que je retourne dans ma chambre.

— Pas encore, fit-il en la retenant. J'ai envie de vous regarder. Vous êtes si belle au clair de lune! Et puis, ajouta-t-il d'une voix douce en serrant la jeune femme contre lui, je voudrais connaître votre impression sur ce qui vient de se passer.

— Je n'aurais jamais cru que ce puisse être aussi merveilleux, répondit-elle avec un sourire vaincu.

Jusqu'à la fin de la nuit, ils parlèrent et s'aimèrent. Avant l'aube, Cassandra eut la certitude de connaître le véritable Bill Mitchum aussi bien qu'elle se connaissait elle-même. Ils contemplèrent ensemble le lever du soleil.

— Il faut que je remonte, murmura Cassandra.

Bill la raccompagna jusqu'aux marches.

— Merci, fit-il en la serrant contre lui.

— Merci pour quoi?

— Pour m'avoir offert le plus beau cadeau que j'aie jamais reçu, ajouta-t-il en l'embrassant.

Ce n'est qu'une fois dans sa chambre que Cassandra commença à réfléchir aux événements de la nuit. En vérité, c'était très simple. Elle était en train de tomber amoureuse.

8

– POURQUOI tu as l'air si contente ce matin,
maman? demanda Tara en délaissant un instant
ses œufs brouillés au bacon.

Cassandra, qui étouffait un centième bâillement, fut prise de court, et ses yeux mauves se
portèrent instinctivement sur Bill, dont le regard
exprimait une indéniable satisfaction.

– Parce que tes grands-parents rentrent
demain, répondit-elle après une imperceptible
hésitation. Je vois déjà la fête qu'ils vont nous
faire! Et puis, ajouta-t-elle en décochant à Bill un
regard en coin, je suis sûre que M. Mitchum sera
content de retrouver sa tranquillité.

– Et Pompon, maman?

– Il va nous manquer, surenchérit Bree. Et
vous aviez dit, Bill et toi, que vous nous donneriez
un chaton.

– C'est d'accord, dit Bill. Mais il va falloir vous
occuper de lui.

– Est-ce qu'on peut nourrir Pompon nous-
mêmes, ce matin? demanda la fillette.

– Vous vous rappelez tout ce que je vous ai expliqué?

Les jumelles hochèrent la tête à l'unisson.

– Ça marche, lâcha Bill après un instant d'hésitation. Et ne vous inquiétez pas, les filles. Après le retour de vos grands-parents, je m'arrangerai pour que votre mère vous ramène régulièrement monter Pompon. D'autre part, dès que votre maison sera prête, vous aurez chacune un chaton.

Ravies, les fillettes quittèrent la table et sortirent par la porte de derrière. Mavis profita de leur départ pour monter faire les lits.

Un pesant silence s'abattit sur la cuisine. Bill et Cassandra se regardèrent longuement.

– Bill, au sujet de la nuit dernière, je...

– C'était merveilleux.

– Oui, mais nous n'aurions pas dû. Ou plutôt, je n'aurais pas dû vous rejoindre dans votre chambre.

– Pourquoi? fit Bill en haussant les sourcils. Nous sommes tous les deux adultes et responsables, n'est-ce pas?

Comment aurait-elle pu avouer à son hôte, pour qui elle ne représentait sans doute qu'une conquête supplémentaire, que leur étreinte de la veille avait provoqué un terrible séisme au fond de son cœur blessé?

Après avoir passé des années aux mains d'un homme qui jouait avec elle comme avec une poupée, valait-il la peine de renoncer à son indépendance si durement conquise? D'ailleurs, l'amour semblait n'avoir aucune prise sur Bill. Malgré leur attraction mutuelle, une liaison semblait irrémédiablement vouée à l'échec, et ses filles ne manqueraient pas d'en subir les cruelles conséquences. Plutôt mourir, songea-t-elle.

— Je suis revenue à Peculiar avec un objectif bien précis, déclara-t-elle enfin. Dès que la maison sera terminée et que j'aurai trouvé une école pour les filles, je vais créer ma propre ligne de vêtements pour femmes d'affaires. J'ai déjà pris tous les contacts nécessaires à New York, ils attendent mes dessins. Comme vous le savez, c'était pour devenir styliste que j'ai quitté la ville.

— Pourquoi est-ce que vous me dites ça?

— Parce que je n'ai vraiment pas besoin qu'un homme comme vous vienne me compliquer la vie.

— Moi, vous compliquer la vie?

— Oui. Avec vous, rien ne sera jamais clair. Je finirais par prendre la chose au sérieux, tandis que...

— Tandis que moi, je coucherais avec d'autres, avouez?

— C'est un peu ça, oui.

— Vous me décevez, Cassandra. Je ne pensais pas que le top-model le plus célèbre de New York puisse avoir peur de la concurrence. Je vous croyais plus sûre de vous.

— On ne m'a pas laissé l'occasion de le devenir. Jean-François m'a toujours répété que sans lui, je n'étais rien.

— Et vous le croyiez?

Cassandra se raidit. Elle ne souhaitait pas

confier à Bill ses pensées les plus secrètes, confi-
nées au fond de son cœur depuis des années.

– Je ne vous laisserai pas me séduire. Vous
essayez de gagner l'affection de mes filles pour
que je tombe amoureuse de vous, déclara-t-elle en
affrontant gravement son regard. Je ne veux pas
prendre de risques, Bill. Les conséquences
seraient trop lourdes.

– Je vois, fit-il avec un regard entendu. Vous
avez peur de tomber amoureuse de moi. Je vous
plais au lit, mais vous n'iriez pas jusqu'à vous affi-
cher en public avec un homme dans mon genre.
Pourquoi? Vous vous sentez supérieure à moi?
Vous craignez que j'aie une mauvaise influence
sur vos filles?

– Ne recommencez pas!

– A mon avis, c'est très simple : vous ne pouvez
pas vous accoutumer à l'idée de coucher avec un
sauvage, un vulgaire sang-mêlé.

– Vous savez très bien que c'est faux!

– Je ne sais plus ce qui est vrai et ce qui est
faux, lâcha-t-il d'un air sombre en se levant de
table. Vos arguments sont vaseux et je n'ai pas de
temps à perdre. J'ai du travail. Si vous voulez
bien m'excuser, Votre Altesse...

En quittant la pièce, il aperçut la tristesse qui se
peignait sur les traits de la jeune femme.

Le reste de la journée parut particulièrement
pénible à Cassandra. Sauf en présence de ses
filles, Bill s'obstina à la fuir. Après la nuit
d'amour et de tendresse qu'elle avait passée dans

ses bras, le contraste était effrayant. Elle tenta de se rassurer en se disant qu'elle avait bien agi en tuant dans l'œuf une liaison qui ne lui aurait apporté que souffrances et remords.

Pour le dîner, Mavis avait préparé du jambon de pays et des pommes de terre frites à l'oignon. Quand les jumelles furent rassasiées, Cassandra monta leur faire prendre un bain, tandis que la gouvernante rangeait la cuisine.

Comme elle aidait Tara à se sécher, la fillette leva sur elle ses grands yeux et, remarquant sa distraction, lui demanda à quoi elle pensait.

— A tous les bagages que je vais devoir boucler ce soir, répondit la jeune femme. N'oublie pas que nous partons demain.

Elle conduisit les jumelles dans leur chambre et les borda tendrement.

— Tu penses à M. Mitchum, lâcha Tara quand sa mère l'embrassa sur le front.

— Pourquoi est-ce que tu dis ça? murmura Cassandra, pétrifiée.

— Lui et toi, vous n'arrêtez pas de vous regarder, répliqua la petite fille d'une voix chargée de jalousie.

Bree se redressa dans son lit.

— Tu es amoureuse de lui, maman? s'enquit-elle, pleine d'espoir. Comme ce serait chouette! On resterait ici et on pourrait monter Pompon tous les jours, Tara et moi!

— Pas du tout, nia Cassandra en les regardant l'une après l'autre. Ne dites pas de bêtises. Nous sommes amis, rien de plus.

129

– Tu disais qu'on resterait rien que nous trois, insista Tara d'un ton soupçonneux. Tu disais qu'on serait comme une équipe.

– Et c'est exactement ce qui va se passer. Dès que notre maison sera prête, nous allons nous y installer toutes les trois. Et maintenant, j'aimerais que tu oublies ces mauvaises pensées. Rien ne nous arrivera.

– Je ne veux plus te voir pleurer, maman, balbutia Tara, lèvres tremblantes.

– Écoute-moi, Tara, murmura Cassandra en la serrant dans ses bras, les larmes aux yeux. Bree et toi, vous êtes la seule chose qui compte pour moi. D'accord?

Tara hocha la tête, sourit et étouffa un bâillement.

– Bonne nuit, maman, murmura-t-elle, rassurée.

Après l'avoir embrassée, Cassandra s'assura que Bree était déjà endormie, éteignit la lumière et quitta la chambre à pas feutrés, laissant la porte entrouverte.

Pour ne pas avoir à rencontrer Bill, elle jugea préférable de rester à l'étage. Elle prit un long bain, passa une chemise de nuit propre et se mit au lit. Elle feuilleta plusieurs de ses livres, mais aucun ne parvint à l'intéresser. Les paroles de Tara lui revenaient sans cesse à l'esprit. Son caractère renfermé la préoccupait. Les douleurs du passé l'avaient-elles marquée plus profondément qu'elle ne se l'imaginait? Soudain, Cassandra se sentit très seule. Elle eut envie de confier à quelqu'un son inquiétude. L'image de Bill fit irruption dans ses pensées. Poussant un soupir, elle referma son livre. Une foule de questions restées sans réponse se bousculaient au seuil de sa conscience, mais une chose était claire : il lui manquait.

Le souvenir de leur nuit d'amour la poursuivait. En l'accueillant entre ses draps, il lui avait fait découvrir un paradis insoupçonné. Elle oubliait tout quand elle était dans ses bras.

Tel un automate, Cassandra se leva et descendit l'escalier. Lorsqu'elle poussa la porte de la chambre, tout son corps tremblait d'émotion. Il était là, couché sur le lit. A son entrée, il leva la tête.

— Vous saviez que je viendrais, n'est-ce pas ? murmura Cassandra d'une voix sombre.

— Non, Cassandra. Avec vous, je ne suis sûr de rien, lâcha-t-il en lui ouvrant les bras. Venez.

Vaincue par la sensualité qui vibrait dans sa voix, elle s'élança. Ils se jettèrent dans un furieux corps à corps entrecoupé de baisers voraces. D'une main fébrile, Bill la débarrassa de sa chemise de nuit et plongea le visage au creux de sa gorge palpitante. Mains plaquées contre son large dos, Cassandra poussa un gémissement de plaisir. Soudain, il entra en elle d'un coup de rein.

— Bill...

Il lui prit le visage à deux mains et plongea ses yeux dans les siens.

— Ouvre les yeux, murmura-t-il. Je veux que tu voies celui que tu es venue rejoindre.

– Bill, s'il te plaît..., balbutia-t-elle, hors d'haleine, entre deux coups de boutoir.

– C'est moi, princesse, souffla-t-il d'une voix rauque. Bill Mitchum, le sang-mêlé...

– Tais-toi, supplia Cassandra, les sens embrasés comme par une traînée de poudre.

Lorsqu'elle atteignit l'extase, ses joues étaient trempées de larmes. Aveuglé de désir, Bill continua de l'honorer avec une violence qui ne rappelait en rien les tendres caresses de la veille. Il poussa enfin un interminable soupir et, rassasié, délaissa le jeune femme pour se tourner vers la fenêtre, encore haletant.

Elle remit sa chemise de nuit en pleurant silencieusement et sortit de la chambre.

Resté seul, Bill se maudit intérieurement en contemplant le ciel noir. Il venait d'infliger une terrible blessure à Cassandra, seule femme pour laquelle il ait jamais ressenti... quelque chose. Après tout, peut-être était-ce mieux ainsi. Il n'était pas question de la laisser bouleverser sa vie.

Cassandra ne dormit pas de la nuit. Bill l'avait sciemment torturée. Serrant les poings, elle regretta amèrement de ne pas s'être fiée à la première impression qu'elle avait eue de lui. Depuis le début, il n'avait cherché qu'à la séduire. Maintenant que son but était atteint, il venait de lui signifier qu'elle n'avait plus aucun intérêt à ses yeux.

Tremblante de colère et de honte, elle songea à Tara qu'elle venait de trahir. Ses yeux s'emplirent de larmes. Elle quitta sa chambre et entra dans celle des jumelles. Les petites dormaient. Prenant soin de ne pas réveiller Tara, elle se glissa sous les draps à son côté.

Le matin suivant, elle se leva tard. Mavis s'était occupée seule de ses filles. Aujourd'hui, ses parents seraient de retour et Cassandra quitterait à jamais la ferme de Bill. Cette pensée lui redonna courage et elle sauta à bas du lit de Tara. Après avoir passé sa robe de chambre, elle descendit à la cuisine, où Mavis venait de lui préparer du café.

— Désolée de me lever si tard, fit-elle en étouffant un bâillement. Où sont les filles?

— Avec les chatons, comme d'habitude. Je leur ai dit de vous laisser dormir.

— Merci. Et M. Mitchum?

— Dans son bureau, répondit Mavis en désignant la porte. Il s'y est bouclé dès son réveil. Il n'a même pas voulu prendre le petit déjeuner.

La sonnette de l'entrée retentit.

— J'y vais, dit Mavis en partant vers le couloir.

Au même instant, Bill sortit de son bureau pour voir ce qui se passait. Son regard croisa celui de Cassandra, puis il détourna les yeux. Mavis ne tarda pas à revenir et, visiblement mal à l'aise, s'adressa à Cassandra:

— Excusez-moi, madame Clair, mais quelqu'un vous demande à la porte.

— Qui est-ce? s'enquit la jeune femme, surprise.

— Un homme, il prétend être votre mari.

9

Un long silence s'instaura. Tout le monde se regardait sans savoir que dire.

— Mon ex-mari, rectifia enfin Cassandra. Vous êtes sûre que c'est lui?

— C'est ce qu'il dit, déclara Mavis en haussant les épaules. En tout cas, il a l'accent français.

Un sombre pressentiment envahit Cassandra.

— Je me charge de lui faire débarrasser le plancher, gronda Bill, une lueur inquiétante dans le regard.

— Ça ne sert à rien, objecta la jeune femme. Il reviendrait un peu plus tard. Mon Dieu! ajouta-t-elle en se levant d'un bond. Où sont les filles?

— Calmez-vous, dit Bill. Ce n'est pas les filles qu'il veut. Mavis, veillez à ce qu'il ne les voie pas.

— Ne vous en faites pas, je suis habituée. J'ai déjà réussi à cacher mon fils aîné de la police pendant trois jours. Je vais les rejoindre à l'écurie.

— Vous ne m'aviez jamais parlé de ça, remarqua Cassandra.

— Je vous l'expliquerai plus tard, répondit la gouvernante en partant vers la porte de derrière.

En tout cas, si cet homme touche à un cheveu des petites, je me charge de lui tordre personnellement le cou!

Cassandra inspira profondément. Elle ne se sentait pas le moins du monde préparée à une confrontation avec son ex-mari. Le cœur battant, elle s'avança en robe de chambre vers l'entrée.

– Je vous accompagne, annonça Bill en lui emboîtant le pas.

Il lui ouvrit la porte et s'effaça pour la laisser passer. Jean-François attendait sur le seuil. Une somptueuse limousine blanche était stationnée dans l'allée.

Cassandra le trouva vieilli. Ses épaules s'étaient affaissées, ses rides creusées.

– Qu'est-ce que tu fabriques ici? attaqua la jeune femme, sans préambule, d'un ton neutre.

Il tenta de dissimuler sa surprise sous un sourire avenant.

– Tu as l'air en forme, Cassandra, remarqua-t-il en promenant son regard sur la robe de chambre. On dirait que la campagne te fait du bien. Tu ne me proposes pas d'entrer? ajouta-t-il en considérant Bill par-dessus l'épaule de la jeune femme. Qui est-ce? Ton garde du corps?

– Qu'est-ce que tu veux?

– Voyons, c'est comme ça que tu me traites, maintenant? fit Jean-François, estomaqué. Que penseraient nos filles si...?

– Mes filles à moi, coupa Cassandra. Tu ne t'es jamais soucié d'elles. Et maintenant, réponds. Qu'est-ce que tu veux?

Bill, bras croisés, se contentait de regarder sans rien dire.

Jean-François considéra son ex-femme d'un œil paternel.

– Eh bien, puisque tu tiens à le savoir, j'ai appris récemment que tu t'étais... comment dire? acoquinée avec une espèce d'Indien.

Menaçant, Bill fit deux pas en avant. Il dominait Jean-François d'une bonne tête.

– Faites attention à ce que vous dites, l'ami, gronda-t-il, mâchoires serrées. Je ne voudrais pas salir votre beau costume.

– Je ne cherche pas d'histoires, protesta l'autre en levant les mains. Simplement, je me fais du souci pour mes filles.

– Quel culot! intervint Cassandra, choquée. Tu ne t'es jamais intéressé qu'à ta petite personne! Et si tu les aimais ne serait-ce qu'un peu, tu aurais réclamé le droit de visite au tribunal. Or il se trouve que j'ai obtenu seule leur garde, et je ne crois pas qu'il soit dans leur intérêt de te revoir.

Jean-François poussa un soupir théâtral.

– Pourquoi faut-il nous disputer, Cassandra? Pourquoi me détestes-tu? Pense à tout ce que j'ai fait pour toi! Tu étais une vulgaire paysanne, j'ai fait de toi le plus célèbre mannequin de New York. Si tu crois que ça a été facile! lâcha-t-il avec un rire méprisant. Quand je t'ai connue, tu ne marchais même pas droit. De là à défiler! Sans parler de ton horrible accent qui...

– Ne bouge pas, ordonna Cassandra en retenant Bill qui s'apprêtait à sauter sur l'intrus. Ça ne regarde que lui et moi. Écoute, Jean-François, il me semble que tu as été grassement payé pour tes services, sans même parler de tout ce que tu m'as volé pendant des années. J'ai tout supporté, tes beuveries, tes maîtresses, tes folles dépenses. Je ne veux plus entendre parler de toi.

L'homme devint écarlate.

— Espèce de petite garce! siffla-t-il, hors de lui. Si tu m'avais laissé te toucher, je n'aurais pas eu besoin de maîtresses! Quand je pense à toutes tes minauderies! J'aurais mieux fait de te laisser pourrir dans ta petite vie miteuse dont je t'ai sortie!

Cette fois, Cassandra fut incapable de retenir Bill. Sans sommation, il expédia son poing dans la figure de Jean-François. Le nez de celui-ci se mit à saigner.

— On dirait que vous ne connaissez pas bien les femmes, lâcha Bill en l'attrapant par le revers de sa veste. Apparemment, vous n'avez pas su vous y prendre avec Cassandra.

— Je constate que mes renseignements sont exacts, riposta l'autre. Je ne savais pas que ma femme avait un goût si marqué pour les sauvages!

Furibond, Bill se jeta sur Jean-François pour le rouer de coups. Cassandra tenta de les séparer, mais en vain. Sans savoir que faire, le chauffeur sortit précipitamment de la limousine. Un dernier coup de poing fit mordre la poussière à l'intrus.

— Embarquez-moi ce type dans votre corbillard et fichez le camp d'ici! lança Bill au chauffeur.

Celui-ci hocha la tête, traîna Jean-François jusqu'à la limousine, l'étendit sur la banquette arrière et, de retour derrière le volant, démarra en trombe.

– Rentrons, dit Bill à Cassandra.

Une fois à l'intérieur, il lui servit une grande tasse de café.

– Tu trembles, remarqua-t-il. Ça va?

Toujours sous le choc, elle se contenta de hocher la tête sans lever les yeux. Mille pensées se bousculaient dans son esprit. Que lui voulait Jean-François? L'incident risquait-il de menacer la carrière politique de Bill? Comment avait-elle pu tomber amoureuse de son hôte? Que fallait-il faire pour sortir de l'inextricable guêpier où elle s'était enlisée?

– A ton avis, demanda Bill, qu'est-ce qui t'a valu la visite de ce sinistre individu?

– Je ne sais pas, répondit-elle en croisant son regard. Il était peut-être à court d'argent. Quand je pense que je l'ai supporté pendant huit ans!

Après un long silence, Bill se décida à prendre la parole.

– Cassandra, je crois qu'il faut que nous parlions, dit-il d'un ton grave. Je voulais te dire que je suis navré. Vraiment navré.

– Je n'ai aucune envie de parler. La seule chose dont j'aie envie, c'est de boucler mes bagages et partir d'ici au plus vite, lâcha-t-elle en se levant.

– Attends, l'implora-t-il en lui prenant le bras.

– Ne me touche pas! N'essaie plus jamais de me toucher! Je suis fatiguée de voir les hommes

138

se servir de moi comme d'un jouet! Tu t'es amusé, tu en as profité, eh bien! N'en parlons plus! C'est terminé! Tu as compris?

Elle tremblait de colère.

– J'ai parfaitement compris, madame Clair.

Avant de partir vers l'escalier, elle lui décocha un regard furieux.

Après le déjeuner, Cassandra parvint enfin à joindre ses parents au téléphone. Ils venaient d'arriver. Une heure plus tard, Mavis et elle chargèrent la dernière valise dans le coffre de la Mercedes flambant neuf de la jeune femme. En rentrant une dernière fois dans la maison pour vérifier qu'elle laissait tout en ordre, elle ne put s'empêcher d'éprouver un serrement de cœur, puis songea que la rupture était la meilleure solution pour ses filles et elle.

– On ne dit pas au revoir à Bill? demanda Bree quand elle revint sur le seuil.

– Je crois qu'il est très occupé. Mieux vaut ne pas le déranger. D'ailleurs, je lui ai laissé un mot de remerciements.

– Vous n'allez pas tarder à le regretter, lui glissa Mavis. J'ai l'œil, voyez-vous. Je repère les amoureux à vingt kilomètres. Si vous voulez mon avis...

– Je ne vous le demande pas, coupa Cassandra en s'installant au volant.

– C'est parce que vous ne voulez pas regarder les choses en face, conclut Mavis.

La jeune femme esquissa un sourire forcé en

démarrant. Pour rien au monde elle n'aurait avoué qu'elle regrettait déjà de ne pas être allée trouver Bill pour lui dire au revoir.

En se garant devant la maison de ses parents, elle fut heureuse de reconnaître leur voiture, ainsi que celles des maris de ses sœurs. Apparemment, toute la famille était là. Mavis fronça les sourcils.

– Vous êtes sûre qu'il y aura de la place pour moi ?

– Tout à fait. Mes deux sœurs n'habitent plus ici. Vous vous installerez dans leur ancienne chambre.

Quand la mère de Cassandra vint ouvrir, elle poussa une telle exclamation que les autres accoururent aussitôt. Les retrouvailles furent célébrées avec force effusions et embrassades. Ce ne fut qu'après une bonne demi-heure que Cassandra parvint enfin à annoncer son retour définitif à Peculiar. La nouvelle provoqua une explosion d'enthousiasme redoublé. Tandis qu'elle leur parlait de sa future maison, Mavis alla préparer des sandwiches et du café.

– Où logiez-vous, jusqu'à aujourd'hui ? lui demanda sa mère.

– Chez Bill, répondit Bree.

– Chez qui, ma chérie ? demanda Mme Kennard en caressant ses bouclettes blondes.

– M. Mitchum a eu la gentillesse de nous loger à l'étage de sa ferme, expliqua Cassandra.

Il y eut un silence.

– Nous étions bien installées, intervint Mavis

140

en déposant un plateau sur la table. M. Mitchum s'est montré très hospitalier.

— Ah..., fit Mme Kennard, apparemment soulagée. Vous y étiez aussi, Mavis?

— Oui, madame. Ma chambre était entre celle de Mme Clair et celle des filles. Vraiment, nous n'avons pas eu à nous plaindre. M. Mitchum est un homme comme il faut.

Les sourires se reformèrent sur toutes les lèvres, et Maggie, la sœur aînée de Cassandra, vint la serrer dans ses bras.

— Maintenant que tu es de retour, tout va recommencer comme au bon vieux temps, chuchota-t-elle. Je suis contente que tu te sois débarrassée de ton affreux mari.

Vers huit heures, les jumelles ne tenaient plus debout. Avec l'aide de sa mère, Cassandra alla les coucher pendant que Mavis, malgré les protestations, insistait pour ranger la cuisine.

Quand tout fut prêt, la jeune femme alla s'asseoir avec ses parents sous la véranda pour parler de sa maison.

— J'y vais tous les jours, expliqua-t-elle, histoire de vérifier les progrès du chantier.

— Tu as l'intention de travailler? demanda son père.

— Oui. A vrai dire, je compte me mettre à l'œuvre dès que nous serons installées.

Elle leur expliqua ses projets en détail. Tous deux trouvèrent l'idée excellente.

— Et ton ex? s'enquit M. Kennard, sans cacher son mépris pour Jean-François. Tu n'as pas peur qu'il essaie de te créer des problèmes?

Cassandra jugea préférable de ne pas mentionner l'incident de la matinée.

– S'il essaie, je l'attaque en justice. Il a perdu tous ses droits au procès.

– Tu as mûri, Cassandra, murmura sa mère en lui pressant la main. Nous sommes très fiers de toi.

– Dès demain matin, ajouta son père, j'irai trouver le maire pour le remercier d'avoir hébergé ma fille et ses enfants.

Heureusement, la pénombre ne lui permit pas d'apercevoir la rougeur subite de Cassandra.

– Je... Je ne crois pas que ce soit la peine, papa.

– Ah bon?

– Oui, expliqua-t-elle en changeant de position. Je m'en suis déjà chargée. Vraiment, ce n'est pas la peine.

Ce soir-là, Cassandra prit un bain dans l'antique baignoire à pieds qui avait appartenu à sa grand-mère, puis passa sa chemise de nuit et alla dire bonsoir à ses parents. De retour dans sa chambre d'enfant, elle considéra ses animaux en peluche d'un air attendri et décida d'en faire cadeau aux jumelles. Dès qu'elle eut éteint la lumière, l'image de Bill reparut devant ses yeux. Poussant un profond soupir, elle se retourna dans son lit.

Pendant les deux semaines qui suivirent, elle n'eut pas une minute à elle. Après bien des démarches, la jeune femme parvint à inscrire ses deux filles à l'école primaire. Ensuite, elle passa le plus clair de ses journées à la villa en compagnie de Mavis. Le chantier, qui bourdonnait d'activité sept jours sur sept, progressait rapidement. Elle acheta des rideaux et surveilla leur pose. Bientôt, ses meubles furent livrés.

Un après-midi, au coin d'un rayon du supermarché, son Caddie faillit percuter celui de Bill.

— Oh...! Bonjour, Bill. Comment vas-tu? demanda-t-elle avec un sourire contraint.

— Tu aurais pu me dire au revoir avant de partir, remarqua-t-il froidement, sans préambule. Ce sont des choses qui se font.

Le cœur battant, elle baissa les yeux.

— Je t'ai laissé un mot de remerciements.

— Comment vont les jumelles?

— Bien. Elles sont à l'école.

— Elles me manquent, lâcha-t-il sans la moindre gaieté.

— Toi aussi, tu leur manques, dit Cassandra en prenant sur le rayon une boîte de petits pois.

Elle s'éloigna avec son Caddie, mais Bill la suivit.

— Et les travaux? demanda-t-il. Ils avancent?

— La peinture est presque finie, mais il reste beaucoup à faire à l'intérieur.

— Et ton travail?

— Je n'ai pas eu beaucoup de temps à y consacrer, mais j'ai quand même envoyé une première série de croquis.

Ils se parlaient comme deux étrangers. La tension était insoutenable.

– Tiens donc! intervint une voix féminine dans le dos de Cassandra. N'est-ce pas notre maire en train de faire son marché?

Elle se retourna et se trouva face à Jenny Bowers.

– Bonjour, Jenny, dit Bill, visiblement surpris. Vous vous souvenez de Mme Clair, je présume?

– Comment aurais-je pu l'oublier? rétorqua celle-ci avec un sourire glacial. Toute la ville ne parle que d'elle. Votre villa sera bientôt magnifique. Quel luxe! Au fait, j'ai cru entendre dire que vous aviez eu la visite de votre ex-mari.

Bill et Cassandra échangèrent un regard entendu. A l'évidence, c'était Jenny qui avait prévenu Jean-François de la situation.

– En effet. Mais le passé est le passé, et nous sommes maintenant bons amis. Rien de tel qu'un bon dialogue pour mettre les choses au clair, une fois pour toutes.

Une lueur d'incrédulité passa dans le regard de la journaliste. Cassandra consulta sa montre.

– Il faut que je parte, sinon les jumelles vont m'attendre à la sortie de l'école. C'est un plaisir de vous avoir revu, monsieur le maire. Au revoir.

Elle s'éloigna avec son Caddie, laissant Jenny seule avec Bill. Son cœur battait follement. A la caisse, Cassandra signa son chèque d'une main tremblante. Le seul fait de revoir Bill avait suffi à rouvrir la blessure de son cœur.

– Pourquoi tu ne nous emmènes jamais chez Bill pour qu'on se promène sur Pompon?

demanda Bree en montant dans la voiture, à la sortie de l'école. Tu nous l'avais promis, maman.

— Ces temps-ci, je suis vraiment trop occupée, ma chérie. Et je suis sûre que M. Mitchum aussi.

— Les chatons me manquent, murmura Tara en regardant par la vitre. Ils sont si doux, si gentils...

— Il y a plein de chats et de chiens chez tes grands-parents. Pourquoi ne joues-tu pas avec eux ?

— Ce n'est pas pareil. Rien n'est plus pareil.

— Qu'est-ce que tu veux dire ? demanda Cassandra en regardant la fillette dans le rétroviseur.

— Ton sourire a disparu, maman.

10

LE lendemain matin, Cassandra fut tirée de son sommeil par les piaillements enthousiastes des jumelles. Elle sauta à bas du lit, enfila sa robe de chambre et descendit à la cuisine, où sa mère était en train de préparer le petit déjeuner.

– Qu'est-ce qui se passe, maman? s'enquit-elle, soucieuse. Où sont les filles?

– Elles ont filé dans la cour dès qu'elles ont vu arriver la Jeep de M. Mitchum avec sa remorque, répondit Mme Kennard avec sourire attendri. J'ai comme l'impression qu'il y a un poney à l'intérieur.

La jeune femme jeta aussitôt un coup d'œil par la fenêtre, puis partit vers la porte.

– Où vas-tu? demanda sa mère. Tu ne vas tout de même pas aller parler au maire dans cette tenue! Cassandra!

Mais la porte s'était déjà refermée. Lorsque la jeune femme eut gagné la cour, Bill avait déjà sorti Pompon de la remorque.

– Qu'est-ce que vous fabriquez? lança-t-elle d'un ton agressif en croisant les bras.

146

Bill lui décocha un malicieux sourire.

– Cette robe de chambre me rappelle bien des choses, remarqua-t-il avec un clin d'œil lourd de sens.

Cassandra rougit en réalisant que c'était celle qu'elle portait lors de leur première nuit d'amour.

– Je t'ai posé une question.

– Je suis simplement venu faire un cadeau aux jumelles. Ça fait un temps fou que j'essaie de vendre ce poney. Je l'ai présenté à une dizaine de femelles fort séduisantes, ma foi, mais il n'a jamais voulu s'en approcher. Tu sais ce que je crois?

Elle secoua la tête.

– Qu'il est homosexuel.

Les deux fillettes pouffèrent de rire. Scandalisée, Cassandra leur jeta un regard incrédule.

– Vous savez ce que ça veut dire? s'affola-t-elle.

Tara et Bree hochèrent la tête.

– Les enfants apprennent très tôt, de nos jours, remarqua Bill.

– On dirait, oui.

– Mais ne t'inquiète pas, maman, déclara Tara d'un ton solennel. Pour nous, ça ne change rien.

– Je n'ai jamais entendu une chose pareille, fit Cassandra en se retenant de sourire. Bon, c'est d'accord. Combien vous dois-je?

– Rien du tout, répondit Bill, choqué. C'est un cadeau.

– Je refuse.

– Maman! protestèrent en chœur les jumelles.

Confiant les rênes à Tara, Bill s'avança vers la jeune femme.

– On pourrait peut-être conclure un marché, suggéra-t-il pour l'amadouer.

– Je n'ai pas l'habitude de traiter avec des gens de ton espèce, Bill, riposta-t-elle, troublée par sa présence toute proche. Si tu tiens tant à proposer tes faveurs, pourquoi n'appelles-tu pas Jenny Bowers?

– On dirait que tu es jalouse! Mais venant de toi, ça ne me déplaît pas. Tu ne serais pas un peu possessive sur les bords?

– Goujat!

– Je sais. Tu me l'as déjà dit une bonne dizaine de fois.

– Tu n'as pas changé d'un pouce. Tu es un bon à rien, un minable et... un voyou! Ceci pour ne citer que tes qualités!

– Je suis content de voir que tu as une haute idée de moi.

– Bon, en ce qui concerne le poney, je...

– C'est un cadeau, Cassandra. Point à la ligne. D'ailleurs, je ne savais plus quoi en faire et je crois que les filles lui manquaient terriblement. Il faisait la grève de la faim.

– Il m'a l'air en pleine forme, objecta Cassandra en posant les yeux sur l'animal. C'est d'accord, Bill. Merci.

Aussitôt, les jumelles se mirent à bondir de joie.

– Vous ne croyez pas que vous devriez remercier M. Mitchum? les réprimanda-t-elle d'un ton sévère.

Elles vinrent l'embrasser l'une après l'autre. Ensuite, Bill alla refermer la porte de la remorque. Les yeux de Cassandra glissèrent sur son corps vigoureux, moulé dans un jean délavé et un tee-shirt blanc. Ses cheveux d'ébène étaient impeccablement rabattus en arrière.

– Veux-tu, euh... prendre un café? proposa-t-elle.

– Non, merci, fit-il en remontant dans sa Jeep. Il ne faudrait pas que tu te sentes obligée de me remercier. J'ai fait ça pour les filles.

Sur ce, il démarra dans une gerbe de poussière. Les jumelles agitèrent les bras dans sa direction jusqu'à ce qu'il ait disparu au tournant.

Cassandra était profondément désappointée. Il aurait tout de même pu accepter son invitation à prendre le café! Vexée, elle conduisit le poney à l'écurie, accompagnée de ses filles.

De retour chez lui, Bill se maudit d'avoir refusé son offre. Depuis son départ, la jeune femme l'obsédait nuit et jour. Fou de désepoir, il abattit son poing sur le volant de la Jeep. Il mourait d'envie de retourner chez les Kennard pour saisir Cassandra par la taille et la ramener à la ferme. Mais ça n'avait aucune chance de marcher. Pas avec Cassandra.

Cette nuit-là, une vague de chaleur s'abattit sur Peculiar. Après s'être cent fois retournée dans ses draps moites, Cassandra s'assit dans son lit et poussa un profond soupir. Comment chasser le souvenir de Bill? Elle eut l'idée de fumer une cigarette de son père. Elle ne fumait pas, mais avait soudain terriblement envie de cette cigarette. La jeune femme enfila sa robe de chambre, glissa les pieds dans une paire de pantoufles et descendit l'escalier à pas de loup.

La première bouffée la fit tousser. En quête d'un peu de fraîcheur, elle sortit de la terrasse. Le ciel était criblé d'étoile. Criquets et grenouilles s'égosillaient gaiement. Combien de fois, enfant, n'était-elle pas sortie ainsi en cachette pour s'enivrer du charmant spectacle de la nuit campagnarde? Aspirant une longue goulée d'air, elle s'avança sur le chemin poussiéreux qui quittait la ferme en zigzagant.

Après avoir parcouru près d'une centaine de mètres, Cassandra eut soudain la certitude de n'être plus seule. Tournant la tête, elle aperçut la pointe rougeoyante de ce qui paraissait être une cigarette. Une haute silhouette se découpait dans les rayons de la lune. Prise d'effroi, elle fit demi-tour et repartit à grands pas vers la maison de ses parents.

— Attends, Cassandra! Ne pars pas!

En reconnaissant la voix, elle s'arrêta net.

— Bill..., fit-elle en se retournant. Qu'est-ce que tu fais ici?

— Depuis quand est-ce que tu fumes? C'est

mauvais pour la santé, tu sais, déclara-t-il en tirant une bouffée de son cigare.

– Je viens de commencer, répondit-elle en écrasant son mégot.

– Tu te sens nerveuse?

– Oui, avoua-t-elle. Entre mes filles, la maison et ma carrière, je...

– Je connais un excellent moyen de te faire retrouver la sérénité.

– Je n'en doute pas. Il faut que je rentre.

– Reste, murmura-t-il. Tous les soirs, je viens m'asseoir ici dans l'espoir que tu sortiras. Tu avais l'habitude quand tu étais adolescente. Tu te rappelles?

Cassandra fixa son regard sur le visage de Bill, dont les rayons de lune découpaient les traits vigoureux.

– Comment le sais-tu?

– Je te voyais souvent. Quand tu n'arrivais pas à dormir, tu venais t'asseoir sur les marches ou faire quelques pas sur le chemin. J'avais l'habitude de garer ma voiture en contrebas, à l'endroit où je viens de laisser ma Jeep, et je venais te regarder. Le plus souvent, j'étais ivre, mais...

– Tu veux dire que tu m'espionnais?

– On peut présenter ça comme ça, fit Bill en jetant son cigare.

– Mais... Pourquoi?

Il esquissa un sourire.

– Parce que j'étais amoureux de toi.

A l'air stupéfait de Cassandra, il sourit de plus belle.

– Bien sûr, à l'époque, je croyais que c'était simplement du désir, poursuivit-il en s'approchant. Tu étais si jeune... J'aurais bien du mal à dire combien de fois j'ai fait monter une fille à l'arrière de ma voiture en essayant de m'imaginer que c'était toi.

Son index se posa sur les lèvres de Cassandra et en suivit tendrement les contours.

– Non, Bill, lâcha-t-elle, reculant d'un pas.

– C'est la pure vérité, Cassandra. Je t'aimais. Et je t'aime encore.

D'un mouvement souple, il la prit dans ses bras et captura ses lèvres pur y déposer un baiser passionné. Hébétée, la jeune femme fut incapable de réagir. Après s'être voluptueusement abandonnée à son étreinte, elle parvint à détourner le visage.

– Bill, je... Je ne suis pas prête. Laisse-moi.

– Tu n'as jamais été aussi prête. Sinon, pourquoi fumerais-tu en cachette au beau milieu de la nuit?

– Je ne vois pas le rapport, murmura-t-elle, bouleversée.

– Cassandra, fit-il d'une voix douce, aurais-tu l'intention de renoncer au bonheur à cause d'un échec conjugal qui appartient déjà au passé?

Elle partit d'un petit rire.

– Tu me propose d'avoir une liaison avec toi? Je ne suis pas folle!

– Nous avons déjà une liaison.

– Je ne t'aime pas, Bill.

– Prouve-le.

— Il n'y a rien à prouver.

— Laisse-moi t'aimer encore une fois, soufflat-il d'une voix altérée par le désir.

Le cœur de Cassandra fit un bond. Un violent frisson la secoua.

— Tu as perdu la tête? Après ce qui s'est passé la dernière fois, je...

Elle sentit les doigts de Bill se refermer convulsivement sur son épaule.

— J'ai commis une faute, l'interrompit-il en posant sur elle un regard chargé de remords. Je te demande pardon. Je voudrais tout t'expliquer.

Lorsqu'il lut dans les yeux de la jeune femme qu'elle était disposée à l'écouter, il relâcha son étreinte, mit les mains dans ses poches et, levant le visage vers les étoiles, poussa un profond soupir.

— Je n'en peux plus, lâcha-t-il. Ça ne peut pas continuer comme ça. Tu me manques trop. J'ai besoin de toi.

— Tu t'es toujours débrouillé pour obtenir ce que tu voulais, n'est-ce pas, Bill? dit-elle d'une voix étonnamment calme. Il te suffit de claquer des doigts pour que les filles arrivent en courant. Je n'ai pas échappé à la règle, d'ailleurs. Comme tu l'avais annoncé, je suis venue te retrouver dans ton lit.

— C'était un moment merveilleux.

— Tu es un spécialiste. Je suis sûre qu'à tes yeux, c'est merveilleux avec toutes les femmes.

— Tu te trompes. C'est la première fois que cela m'arrive avec une femme que j'aime, confessa-t-il, luttant contre l'envie de la reprendre dans ses bras. C'est pour ça que j'ai été si dur, la seconde nuit. Je commençais à comprendre ce que j'éprouvais pour toi. Pour quelqu'un qui n'a jamais été aimé de sa vie, tu ne peux savoir à quel point c'est difficile de tomber amoureux. J'en ai eu la peur au ventre, Cassandra. J'ai réalisé que ma propre vie comptait moins à mes yeux que la tienne. Jamais je n'avais rien éprouvé de semblable. Ça peut te paraître absurde, mais je mourrais sans hésiter pour toi et tes filles.

Cassandra, fixant sur lui ses grands yeux noyés de larmes, sentit qu'il était sincère. Elle fit un pas en avant et se blottit dans ses bras vigoureux. Bill se pencha sur elle et l'embrassa.

– Viens chez moi, Cassandra.

Après un nouveau baiser, elle hocha timidement la tête. Il la prit par la main et l'entraîna vers la Jeep, dissimulée après le tournant à l'orée d'un bosquet parfumé. Pendant le trajet, ils restèrent silencieux. La jeune femme était trop émue pour pouvoir prononcer un mot.

Bill se gara devant la ferme, descendit de voiture et vint ouvrir la portière à Cassandra. Au lieu de l'aider à sortir, il la souleva de son siège et la porta vers la maison. Une fois entré, il se dirigea vers la chambre sans prendre la peine de faire de la lumière.

Lovée dans ses bras puissants, Cassandra sut qu'elle avait perdu la partie. A quoi bon s'obs-

154

tiner à dissimuler plus longtemps ses véritables sentiments? Quand Bill la déposa sur le lit et se coucha à son côté, elle sentit qu'elle ne rencontrerait jamais un homme meilleur que lui.

Pendant de longues minutes, il la caressa et l'embrassa avec une extrême douceur, comme s'il craignait qu'elle ne lui échappe encore. En sentant son souffle chaud au creux de son cou, Cassandra réprima un frisson et se redressa pour l'embrasser à son tour avec une ardeur dont elle ne se serait pas crue capable. Ils s'interrompirent un instant, échangèrent un regard plein d'un vibrant amour et reprirent leurs baisers de plus belle, ivres de passion.

Fou de désir, Bill écarta les pans de la chemise de nuit de la jeune femme et enfouit les lèvres au cœur des brûlantes rondeurs de sa gorge frémissante.

– Je t'aime, Cassandra..., murmura-t-il entre deux caresses.

Extatique, elle poussa un soupir de plaisir en pressant la tête de Bill contre contre son sein. Au cours des heures inoubliables qui suivirent, nul interdit, nul tabou ne résista au bonheur qu'ils eurent à explorer et goûter les moindres recoins du corps de l'être aimé. Cassandra se livra à de folles caresses dont la seule pensée l'eût fait rougir quelques heures plus tôt. Puis, quand leur mutuel désir devint intolérable, ils s'unirent en une fiévreuse étreinte qui les entraîna tous deux dans un torrent de furieuses voluptés. Lorsqu'ils atteignirent le pinacle du plaisir, ils poussèrent à l'unisson un bouleversant cri de joie.

Il fallut de longues minutes à Cassandra pour reprendre ses esprits.

– Je t'aime, Bill..., murmura-t-elle d'une voix tremblante de passion.

Il se redressa et posa sur elle un regard à la fois incrédule et émerveillé. Quand il eut vérifié dans ses yeux qu'elle ne mentait pas, il l'embrassa comme il n'avait jamais embrassé personne.

– Je t'ai toujours aimée, princesse, avoua-t-il d'un souffle en jouant avec ses longues boucles claires.

Soudain, une ombre passa dans ses yeux bleus. Il fronça les sourcils.

– Qu'y a-t-il? s'inquiéta Cassandra en se redressant sur un coude.

– Je viens de penser que...

Songeur, il s'interrompit.

– Quoi donc?

– Que se passerait-il si tu tombais enceinte? C'est possible?

Cassandra réfléchit un instant, puis hocha la tête.

– C'est idiot, reprit Bill. Excuse-moi, mon amour. J'aurais dû y penser plus tôt. Si ça doit arriver, je suis prêt à l'assumer.

– J'en suis sûre, répondit la jeune femme, mal remise de sa surprise. Mais ce serait autant ma faute que la tienne. Moi non plus, je n'y ai pas pensé.

— Je ne veux pas que tu souffres, ajouta-t-il d'un air sombre.

— Que veux-tu dire?

— Si tu devais mettre au monde un...

Elle le réduisit au silence en posant l'index sur ses lèvres.

— Tais-toi, Bill. Ne dis pas de bêtises. Si je suis enceinte, je ne laisserai personne dire du mal de notre enfant. D'ailleurs, ajouta-t-elle avec un sourire, je n'ai rien contre. Ma première grossesse m'a laissé de très bons souvenirs. C'est à peu près la seule période de ma vie où j'ai pu manger tout ce dont j'avais envie sans me préoccuper de ma ligne.

— Et tes projets professionnels?

— Ils pourraient bien attendre quelques mois de plus. Je ne suis pas pressée.

— Il y a d'autres problèmes, insista Bill en s'asseyant.

— A savoir?

— Comment vas-tu vivre dans cette ville si tout le monde sait parfaitement de qui tu es enceinte? Non seulement ta réputation sera salie, mais l'enfant risque d'en souffrir.

Elle s'assit à son tour et le regarda en croisant les bras.

— J'en ai assez de t'entendre te rabaisser à longueur de journée simplement à cause de tes origines, Bill. Je sais que tu n'as pas toujours été un saint, je sais que tu as fait les quatre cents coups, mais mets-toi dans la tête une fois pour toutes que si les gens de Peculiar n'avaient pas oublié ton passé, ils ne t'auraient certainement pas élu maire. Pourquoi refuses-tu de regarder les choses en face?

Surpris, il la dévisagea longuement.

— Ce n'est pas si facile, Cassandra. Le passé pèse lourd. Si tu tombes enceinte, ajouta-t-il après une pause, je vais t'épouser.

— M'épouser? répéta-t-elle, très calme.

— Oui. Pour sauver ta réputation. Mais sache que je t'aurais demandée en mariage bien des années plus tôt si tu n'avais pas quitté la ville pour monter à New York. j'étais à peu près certain que tu refuserais, mais j'avais quand même l'intention d'essayer.Tu ne m'en as pas laissé le temps. A vrai dire, je serais sacrément fier de t'épouser maintenant, enceinte ou non.

Un sourire radieux se dessina sur les lèvres de la jeune femme. Elle se jeta dans ses bras.

— Recouchons-nous, Bill.

— Pas avant d'avoir ta réponse.

— J'accepte, murmura-t-elle. Je veux bien devenir ta femme.

A peine eut-elle le temps de terminer ta phrase qu'il l'embrassa avec passion.

— Et ta maison? demanda-t-il en s'écartant.

— Nous pourrons nous y installer, si tu le souhaites. Nos propriétés sont voisines, ça nous fera un bon bout de terrain. En attendant qu'elle soit prête, le mieux serait peut-être de vivre ici.

Bill parut immensément soulagé.

— Je veux être un père pour tes filles, Cassandra. Elles en ont grand besoin, surtout Tara. Ce qu'il lui faut, c'est la sécurité. Quand à Bree, ce serait plutôt...

— Un peu d'autorité, termina la jeune femme en riant.

Ravis d'avoir enfin trouvé le bonheur, ils se replièrent en pouffant sous les draps pour célébrer dignement leur mariage. Une nouvelle vie venait de commencer.

LA COMPOSITION, L'IMPRESSION ET LE BROCHAGE DE CE LIVRE
ONT ÉTÉ EFFECTUÉS PAR LA SOCIÉTÉ NOUVELLE FIRMIN-DIDOT
MESNIL-SUR-L'ESTRÉE
POUR LE COMPTE DES PRESSES DE LA CITÉ
EN DÉCEMBRE 1990

Imprimé en France
Dépôt légal : janvier 1991
N° d'impression : 15285